Tacsi i Hunllef

Tacsi i Hunllef

GARETH F. WILLIAMS

y Lolfa

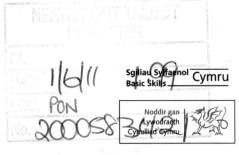

CYNGOR LLYFRAU CYMRU

ISBN: 978 1847712974
Argraffiad cyntaf: 2011

© Gareth F. Williams a'r Lolfa, 2011

Mae Gareth F. Williams wedi datgan eu hawl dan Ddeddf Hawlfraint, Dyluniadau a Phatentau 1988 i gael eu cydnabod fel awduron y llyfr hwn.

Mae'r prosiect Stori Sydyn/Quick Reads yng Nghymru yn fenter ar y cyd rhwng Llywodraeth Cynulliad Cymru a Chyngor Llyfrau Cymru. Mae'r teitlau'n cael eu hariannu yn rhan o'r Strategaeth Genedlaethol Sgiliau Sylfaenol i Gymru.

Argaffwyd a chyhoeddwyd gan
Y Lolfa, Talybont, Ceredigion SY24 5HE
gwefan www.ylolfa.com
e-bost ylolfa@ylolfa.com
ffôn 01970 832 304
ffacs 832782

Bang Bang!
Maxwell's silver hammer came down upon his head,

Bang Bang!
Maxwell's silver hammer made sure that he was dead.

Y Beatles

PROLOG

Rhagfyr, y llynedd

DAETH Y CAR O nunlle...

... fel y glaw, ychydig funudau ynghynt. Ac roedd ei mam wedi mynd allan heb gôt, heb ymbarél.

'Fydda i ddim chwinciad,' meddai. 'Rho'r teciall ymlaen.' Wrth y drws, trodd. 'Bydd un paced mawr o jips yn ddigon rhwng y ddwy ohonan ni, yn bydd?'

'A lot o halan a finag, cofiwch.'

Allan â'i mam â phapur pumpunt yn ei llaw. Wrth i'r ferch lenwi'r tegell, clywodd sŵn annisgwyl: glaw trwm, yn taro fel bwledi oddi ar do'r sied a ffenestri'r tŷ gwydr.

Ochneidiodd y ferch. Doedd Derek Brockway ddim wedi sôn yr un gair am law ar y teledu'n gynharach.

'Typical!'

Aeth y ferch at y drws ffrynt, gan feddwl y byddai ei mam wedi troi'n ei hôl. Ond na, doedd dim golwg ohoni, dim ond y glaw yn sgubo ar draws y stryd.

Ochneidiodd y ferch eto. Gwisgodd ei chôt, cydiodd mewn ymbarél ac yng nghôt law ei mam, a mynd allan i'r glaw.

Roedd eu stryd, fel arfer, yn dawel ac yn llonydd. Rhegodd y ferch wrth i ragor o ddŵr oer wlychu gwaelodion ei jîns. Byddai'n rhaid iddi newid ar ôl cyrraedd yn ei hôl adref, er gwaethaf ei chôt a'i hymbarél.

Cyrhaeddodd y stryd nesaf. Gallai weld y siop sglodion ym mhen pella'r stryd, ei ffenest fel ffrâm fawr, felen. Roedd ei mam yn sefyll yn y drws yn syllu ar y glaw, â'r pecyn bwyd o dan ei chesail. Gwenodd pan welodd ei merch, ond yn lle aros lle roedd hi, daeth allan o'r siop a chamu oddi ar y palmant.

Yna, roedd y cyfan fel breuddwyd cas. Daeth y car o nunlle, ei oleuadau'n dallu, yr injan yn chwyrnu a rhuo, a'r gerddoriaeth hip-hop yn bytheirio allan ohono. Dechreuodd ei mam droi tuag at y car, ond yna roedd hi'n hedfan – yn hedfan wysg ei chefn a'i chorff yn llac i gyd fel doli glwt.

'Maaaam!' gwaeddodd y ferch, ond chlywodd neb mohoni. Roedd gormod o sŵn. Daliai'r ddraig i ruo a'r bas a'r drymiau'n ffrwydro dros y stryd. A'r glaw'n byrlymu ar ddefnydd ei hymbarél.

Gwelodd ei mam yn syrthio i'r llawr a chefn ei phen yn taro yn erbyn ochr y palmant. Wrth i'r car ruthro heibio iddi, a chyn iddo ddiflannu o'r golwg i lawr y stryd, cafodd gip ar wyneb y gyrrwr. Sylwodd hefyd ar ddau berson yn eistedd y tu ôl iddo, yn y sedd gefn.

Dynion ifanc, y tri ohonyn nhw.

A'r ddau yn y sedd gefn wedi troi er mwyn syllu allan drwy'r ffenest ôl.

Ac yn syllu a chwerthin.

Ond prin y sylwodd y ferch arnyn nhw ar y pryd. Dim ond wedyn – ddyddiau, wythnosau wedyn – y cofiodd amdanyn nhw, pan ddechreuon nhw lenwi ei breuddwydion bob nos.

Eu hwynebau, yn chwerthin, chwerthin, chwerthin...

Ar y pryd, roedd hi ar ei gliniau. Ar ei gliniau yng nghanol y ffordd.

Lle roedd ei mam yn gorwedd ac yn gwaedu yn y glaw.

1

Rhagfyr, eleni

ROEDDEN NHW'N AROS AMDANI y tu allan i'r Pretty Flamingo, un o glybiau'r dref.

Tair ohonyn nhw, un mewn jîns tyn a'r ddwy arall mewn sgertiau cwta yn edrych, meddyliodd Ffion, fel fflamingos efo'u coesau tenau, noeth.

Ac roedden nhw'n amlwg wedi bod yn yfed.

Dim ond yr un mewn jîns oedd wedi sylwi ar Ffion yn cyrraedd. Roedd y ddwy arall yn rhy brysur yn sgrechian ar y ddau fownsar a safai fel dwy graig yn nrws y clwb.

Daeth y ferch mewn jîns at y car. Gwasgodd Ffion fotwm ac agor y ffenest.

'Tacsi i fflatiau Rhyd-y-felin?' meddai'r ferch.

'Ma'n dibynnu. Be ydi'r enw?' gofynnodd Ffion.

'Kelly.'

Nodiodd Ffion a gwasgu botwm arall gan ddatgloi drws cefn y car. Agorodd y ferch y drws cyn troi a gweiddi ar ei ffrindiau.

'Kirsty! Karina!'

Kelly, Kirsty a Karina – KKK, meddyliodd Ffion. Fel y Ku Klux Klan. Cofiai weld ffilm am y rheini un tro. Dynion atgas wedi'u gwisgo mewn gynau gwynion, llaes at eu traed, pob un yn gwisgo mwgwd mawr gwyn. Sinistr iawn...

Plonciodd Kelly ei hun yng nghefn y car gan adael y drws ar agor.

'Cym on!' gwaeddodd ar ei ffrindiau.

Gan boeri i gyfeiriad y bownsars a chodi dau fys arnyn nhw, trodd y ddwy arall a sgrialu i mewn i gefn y car. Rhoddodd y ferch olaf glep galed i'r drws wrth ei gau.

'Ocê,' meddai un ohonyn nhw wrth Ffion.

Roedd y car yn drewi o alcohol – alcohol a baco a phersawr, a gormod o lawer o'r tri.

Wrth roi'r car mewn gêr edrychodd Ffion ar wynebau'r genod yn y drych. Plant ydyn nhw, atgoffodd ei hun.

Ond roedd eu hwynebau'n galed ac yn filain. Gwnâi hynny i Ffion feddwl fod yna bobol llawer iawn hŷn yn ymguddio y tu mewn i'r cyrff ifanc.

A doedd y bobol hynny ddim yn rhai neis iawn, chwaith.

*

Roedden nhw wedi gadael canol y dref erbyn hyn. Gallai Ffion weld fflatiau Rhyd-y-felin o'i blaen, blociau uchel a wnâi iddi feddwl am gytiau cywion ieir batri bob tro y byddai'n agosáu atyn nhw.

Os felly, meddyliodd, yna iâr ydw inna hefyd, oherwydd yma mae 'nghartref inna.

Ond nid am byth! Baswn i'n torri 'nghalon yn llwyr taswn i'n meddwl na fedrwn i fyth symud o'ma. Taswn i'n meddwl na fyddai dim byd gwell na hyn am ddod i Josh a fi...

Roedd y tair merch yn y sedd gefn wedi bod yn rhyfedd o dawel, sylweddolodd Ffion. Fel arfer, byddai genod fel nhw'n parablu bob cam adref, yn enwedig ar ôl bod yn yfed.

Ond roedd y rhain yn wahanol.

'Lle yn Rhyd-y-felin?' gofynnodd Ffion.

'Ddim eto. Mi wna i ddeud pryd,' meddai Kelly.

Yna dechreuodd y ferch Karina wneud synau annifyr. Neidiodd llygaid Ffion i'r drych, mewn pryd i'w gweld hi'n gwasgu ei llaw yn erbyn ei cheg.

'O, ffycin hel!' meddai Kirsty, wrth y ffenest.

'Stopia'r car! Ma Karina'n mynd i chwydu!' gwaeddodd Kelly.

Sathrodd Ffion ar y brêc. Y peth olaf roedd arni eisiau heno oedd gorfod glanhau'r car. Roedd arogl chŵd yn gallu aros yn y car am ddyddiau.

Roedd y ddau ddrws cefn wedi dechrau agor cyn i'r car aros. Byrlymodd y genod allan o'r car, Karina efo'i llaw dros ei cheg ac yn griddfan yn uchel.

Yna rhedodd y tair i ffwrdd gan chwerthin.

'Hoi!'

Brysiodd Ffion allan o'r car ond roedd y genod wedi mynd yn rhy bell. Trodd y tair a chodi dau fys arni cyn diflannu i ganol y fflatiau.

'Stiwpid!' meddai Ffion wrthi'i hun. 'Blydi stiwpid...'

Cymerodd bum munud reit dda o regi cyn iddi fedru mynd yn ei hôl i mewn i'r tacsi a gyrru i ffwrdd.

2

Problem fawr Karina, meddyliodd Kirsty, ydi ei cheg; dydi hi ddim yn gwybod pryd i'w chau hi.

Dyna pam roedd Karina'n gorwedd ar y llawr, ei gwallt mewn pwll o ddŵr glaw, efo Kelly yn eistedd arni ac yn dal blaen cyllell Stanley yn erbyn ei hwyneb.

Roedd llygaid Karina yn llawn ofn. Gwyddai fod Kelly o fewn dim i dynnu blaen y gyllell ar hyd ei hwyneb, o gornel ei llygad i lawr at ei gên.

Roedden nhw wedi gwylio dynes y tacsi'n mynd 'nôl i mewn i'w char a gyrru i ffwrdd. Yna roedd Kelly wedi troi at y ddwy arall.

'Doedd hynna,' meddai, 'ddim yn beth cŵl iawn i'w neud, yn nag oedd?'

'Pam?' meddai Karina. 'W't ti'n dechra mynd yn sofft, ne' rwbath?'

Digwyddodd y cyfan mor sydyn. Un funud roedd Karina'n sefyll yno'n cega, a'r funud nesaf roedd hi ar y llawr efo Kelly'n eistedd arni a'i sgert i fyny reit at ei chanol.

'Dydi rhedag i ffwrdd fel plant bach drwg, yn giglo dros y lle, ddim yn cŵl,' meddai Kelly. 'Cŵl fasa cerddad i ffwrdd. Ac os basa'r ddynas yna wedi dŵad ar 'yn hola ni – wel, roedd yna dair ohonan ni a dim ond un ohoni hi.'

Symudodd flaen y gyllell nes ei bod yn cyffwrdd â'r croen meddal, tyner wrth gornel llygad dde Karina. Cododd arogl cyfarwydd i ffroenau Kirsty, a gwelodd fod blaen nicyrs thong Karina yn wlyb a bod pwll bychan o biso'n tyfu rhwng ei chluniau tenau.

'Kelly...' meddai Kirsty.

Arhosodd Kelly lle roedd hi am eiliad neu ddau, cyn nodio a chodi. Edrychodd ar Kirsty.

'Be amdanat ti, Kirsty? W't titha'n meddwl mod i'n "sofft" hefyd?'

Ysgydwodd Kirsty ei phen yn araf. Syllodd Kelly i'w llygaid am ychydig, yna nodiodd eto a gollwng y gyllell Stanley i mewn i'w bag. Edrychodd i lawr ar Karina'n sgrialu i'w thraed. Gwelodd Kirsty fod y ferch denau'n cael trafferth i beidio â chrio.

Gwenodd Kelly.

'Well i ti fynd â hon adra,' meddai. 'Ma angan bath a newid ei nicyrs arni.'

Trodd a cherdded i ffwrdd.

'Bitsh...' Siaradai Karina'n ddistaw, ond gallai Kirsty glywed ei llais yn crynu. 'Ffycin bitsh... Dwi am 'i cha'l hi am hynna, Kirsty.'

Edrychodd ar Kirsty. Roedd ei thrwyn yn rhedeg a'i llygaid yn wlyb. Sychodd ei thrwyn ar lawes ei siaced. Ochneidiodd Kirsty.

'Jest ty'd adra, Karina.'

'Dwi'n 'i feddwl o!' poerodd Karina. 'Un diwrnod, Kirsty. Dwi am dalu'n ôl i'r bitsh, gei di weld.'

3

DOEDD SCOTT ANDREWS DDIM yn gallu credu'i lwc. Doedd merched fel hon ddim yn curo ar ddrws ei fflat bob nos.

Roedd hi wedi'i gwisgo mewn du – sgert gwta ddu, sanau duon, a thop du a gwddf isel. Gwddf isel iawn, dyna un o'r pethau cyntaf y sylwodd Scott arno. Roedd ei gwallt, hefyd, yn ddu, ac yn hir, a gwisgai fenig duon, henffasiwn a gyrhaeddai hanner ffordd i fyny ei breichiau.

Roedd hi'n sefyll a'i chefn ato, yn darllen enwau'r DVDs oedd ganddo. Roedden nhw'n llenwi'r silffoedd llyfrau wrth ochr ei set deledu anferth.

'Be ddwedest ti oedd dy enw, hefyd?' gofynnodd iddi.

Edrychodd y ferch arno. 'Ddwedes i ddim.' Yna gwenodd. 'Jael,' meddai.

'Jaa-el? Be ydi o, enw Goth neu rywbath?' Basa hynny'n cyd-fynd â'i cholur a'i dillad duon hi, meddyliodd Scott.

'Mae o yn y Beibil,' meddai'r ferch. 'Pam?'

'Dim byd. Mae o jest… wel, yn enw gwahanol,' meddai Scott.

'Ia, wel, dwi yn berson gwahanol.'

Trodd Jael yn ôl at y DVDs, gan fynd ar ei chwrcwd er mwyn darllen teitlau'r rhai ar y silff waelod. Ffycin hel, meddyliodd Scott, dwi'n gallu gweld reit i lawr ei thop hi...

'Dwi ddim wedi dŵad yma i edrych ar dy ffilmiau di,' meddai Jael, heb edrych i fyny.

'Be...? O! Ia... cŵl. Ocê...' parablodd Scott. 'Aros. Fydda i ddim dau funud...'

Trodd a mynd i mewn i'r stafell ymolchi lle roedd o'n cadw'i gêr. Dydi hyn ddim yn digwydd i mi! meddyliodd wrth godi caead y toiled ac estyn y bagiau plastig o'r sistern. Roedd persawr y ferch yn llenwi'i ffroenau ac yn ei gynhyrfu fwyfwy – bron iawn fel petai hi wedi'i ddilyn i'r stafell ymolchi.

Llwyddodd i osod caead y sistern yn ei ôl o'r diwedd. Dechreuodd godi a throi...

... a dyna pryd y ffrwydrodd y morthwyl pren ar ei ben.

*

Doedd Jael ddim wedi disgwyl gweld cymaint o waed. Be oeddet ti'n ei ddisgwyl? holodd ei hun. Oeddet ti wedi disgwyl gweld dim byd mwy na lwmp yn codi ar ei ben o, fel sy'n digwydd mewn cartŵn *Tom and Jerry*? Roedd y sŵn hefyd wedi'i dychryn. Sŵn y morthwyl yn taro yn erbyn y penglog gan wneud sŵn gwlyb, rywsut, fel carreg yn disgyn i ganol mwd.

Ond roedd Scott Andrews yn gwaedu fel mochyn, ac wedi disgyn ar ei liniau ar ôl i Jael ei daro. Edrychai fel petai o'n gweddïo. Roedd o hefyd yn gwneud synau od, rhyw hanner mewian a hanner griddfan.

Ond y gwaed, bobol bach, y gwaed...

Doedd hi ddim wedi meddwl y byddai hi wedi gallu defnyddio'r morthwyl yn y lle cyntaf.

Ond roedd hi wedi'i ddefnyddio. Roedd o'n dal yn ei llaw dde, a'i bysedd wedi'u lapio'n dynn am yr handlen, morthwyl pren a'i ben yn drwm a chaled.

Ond roedd yn rhaid i Jael frysio. Doedd hi ddim wedi gorffen eto.

Y peth cyntaf i'w wneud oedd diffodd y golau yn stafell fyw'r fflat. Roedd yn wyrth, meddyliodd, nad oedd rhywun wedi curo ar y drws – rhai o gwsmeriaid desbret Scott. Wedi iddi diffodd y golau, aeth yn ôl i'r stafell ymolchi.

Roedd Scott yn gorwedd ar ei gefn.

Sylweddolodd ei bod yn crynu ac yn teimlo fel taflu i fyny. Roedd ei chorff yn chwys oer drosto a gallai glywed chwiban uchel, fain yn ei phen. Ofnai ei bod am lewygu a daeth yn agos iawn at droi a ffoi o'r fflat sglyfaethus hwn, allan i'r oerni, y glaw mân ac awyr iach y nos.

Yna cofiodd pam y daeth yma, pam ei bod yn gwneud hyn i gyd.

19

'Gwna fo,' meddai wrthi'i hun. 'Paid â meddwl amdano fo, jest gwna fo.'

Teimlodd ei stumog yn setlo eto, fel dŵr mewn sosban a gafodd ei thynnu oddi ar y stof eiliad cyn iddo gyrraedd y berw.

Roedd Scott Andrews yn edrych fel petai o'n gwisgo mwgwd coch, ond roedd ei lygaid ar agor, yn llydan agored. Rhaid bod Scott wedi brathu'i dafod wrth i Jael ei daro. Roedd blaen ei dafod yn hongian allan o'i geg, gyda dim ond dau ddarn tenau o gnawd yn ei ddal yn sownd wrth y gweddill.

Ac roedd o'n dal yn fyw. Gallai Jael weld bybls bychain o waed yn ffurfio ac yna'n ffrwydro ar ei wefus isaf.

Tynnodd Jael beg pabell, un dur, o'i bag. Sychodd ef yn frysiog ar hen dywel a hongiai ar gefn y drws, yna gosododd ei flaen yn erbyn canol talcen Scott Andrews.

Cododd y morthwyl eilwaith...

4

ROEDD KELLY WEDI CYNHYRFU'N lân.

Mewn ffordd neis. Teimlai fod ei gwaed yn canu o dan ei chroen, yn byrlymu fel afon. Roedd gweld yr ofn yn llygaid Karina, a gweld wedyn fod Karina wedi gwlychu'i nicyrs...

Whiw! meddyliodd.

Brysiodd felly am y bloc lle roedd fflat Stici Scott. Roedd angen rhywbeth arni i'w helpu i gysgu heno, rhywbeth i'w thawelu.

Ond roedd y fflat mewn tywyllwch.

Rhegodd Kelly. Edrychodd ar ei wats, dau o'r gloch y bore. Doedd hynny ddim yn hwyr i bobol fel Stici, wrth gwrs; yn ystod y dydd y byddai o'n cysgu, fel fampir. Ond roedd yn hwyr iddo fo fod allan, dyna'r peth. Hoffai fod yn ôl yn ei fflat erbyn i'r tafarnau a'r clybiau gau – dyna pryd byddai ar bobol eraill ei angen fwyaf.

Curodd Kelly ar y drws.

'Scott?'

Aeth ar ei chwrcwd a gweiddi drwy'r blwch llythyron.

'Scott!'

Yna, trodd yn sydyn wrth i rywun agor drws un o'r fflatiau y tu ôl iddi. Dyn ifanc yn gwisgo fest, a thatŵs dros ei freichiau a'i ysgwyddau. Dyn ifanc a photel o gwrw yn ei law.

'Wo...' meddai pan welodd Kelly'n sefyll yno efo'r gyllell wedi'i dal allan o'i blaen.

''Sgen ti broblem?' gofynnodd iddo.

Daliodd y dyn ei law i fyny.

'Na, na... ma'n ocê, ma'n cŵl...'

'Ffyc off, 'ta,' meddai Kelly.

Camodd y dyn yn ei ôl wysg ei gefn i mewn i'w fflat, a chau'r drws yn dawel.

Trodd Kelly yn ei hôl at ddrws fflat Stici Scott a rhoi cic galed i'w waelod.

A rhythodd arno'n hurt wrth iddo agor yn araf.

'Scott?'

Dim smic o'r tu mewn, na'r un llygedyn o olau chwaith. Doedd hyn ddim fel Stici. Fel arfer, byddai'n haws mynd i mewn i Fort Knox nag i'w fflat ef.

'Stici?' gwaeddodd Kelly. 'W't ti yma?'

Dim ateb.

Gwthiodd Kelly'r drws yn llydan agored a chamu i mewn i'r fflat.

'Ffycin hel!' meddai'n uchel.

Roedd y lle'n drewi, yn waeth nag arfer. Roedd bron fel petai Stici wedi gwneud ei fusnes ar ganol y llawr yn lle mynd trwodd i'r stafell ymolchi.

Ac roedd arogl arall yn yr aer, hefyd. Arogl metalaidd, fel copr.

Arogl gwaed.

Ac roedd y fflat yn annaturiol o dawel – bron fel petai'n dal ei wynt.

Sgrialodd bysedd Kelly am switsh y golau. Ffyc mi, ma'r lle yma fel toman sbwriel, meddyliodd. Yna gwelodd fod rhywbeth tebyg i saws coch ar y llawr wrth ddrws y stafell ymolchi...

'Stici?'

Symudodd yn araf tuag at y drws. Roedd yr arogl ffiaidd yn gryfach yma, a theimlodd Kelly ei stumog yn troi.

'Stici...?'

Rhoddodd bwniad i'r drws efo blaenau'i bysedd, ond roedd rhywbeth ar y llawr yn ei rhwystro rhag ei agor. Gallai weld cortyn switsh y golau'n hongian yn y tywyllwch rhwng y drws a'r postyn.

Cydiodd ynddo a rhoi plwc iddo, cyn brathu'i phen i mewn heibio'r drws.

Gorweddai Scott Andrews ar ei gefn. Roedd ei wyneb yn goch gan waed a'i lygaid yn llydan agored ac yn rhythu mewn braw ar y nenfwd. Roedd rhywbeth ar ei dalcen... na, gwelodd Kelly, roedd o *yn* ei dalcen, wedi'i ddobio i mewn i'w ben.

Peg.

Peg dur. Peg pabell.

5

Roedd Ffion yn teimlo'n flin pan ddeffrodd hi fore trannoeth. Roedd hi'n dal yn flin efo hi'i hun, am iddi gael ei thwyllo gan y genod neithiwr – y KKK, fel roedd hi'n meddwl amdanyn nhw.

Doedd hi ddim wedi edrych ymlaen rhyw lawer at ddweud yr hanes wrth Ruth fore heddiw. Roedd arni ormod o gywilydd.

Ond roedd Ruth yn llawn cydymdeimlad.

'Doedd yna ddim byd y gallet ti fod wedi'i wneud, Ffion,' meddai. 'Baswn inna wedi gwneud yn union yr un fath â chdi.'

Roedd y ddwy yn eistedd yn swyddfa Tacsis Pandora, sef parlwr ffrynt tŷ Ruth. Roedd y ddwy ffrind wedi cychwyn y busnes Pandora bron i ddwy flynedd yn ôl. A hynny ar ôl sylweddoli bod llawer iawn o ferched y dref yn teimlo'n nerfus ynglŷn â mynd mewn tacsi ar eu pennau eu hunain, yn enwedig yn hwyr yn y nos. Gwasanaeth tacsis ar gyfer merched yn unig oedd Pandora's, felly, a merched oedd yn gyrru.

Doedden nhw ddim wedi bod yn ddwy flynedd hawdd, o bell ffordd. Pan gychwynnon nhw, doedd Towncars, unig gwmni tacsis y dref cyn hynny, ddim wedi hoffi'r syniad o Pandora's o gwbl. Dynes o'r enw Kathy Cornwell oedd perchennog Towncars ar y pryd, ac aeth hi ati i wneud pethau'n anodd i Ffion a Ruth drwy eu galw allan ar alwadau ffug. Ni allai Ffion gofio faint o weithiau roedd hi neu Ruth wedi gyrru i ryw gyfeiriad yng nghanol nunlle, a darganfod nad oedd neb wedi'u galw yno.

Ond cafodd Kathy Cornwell ei lladd ychydig dros flwyddyn yn ôl, gan ddyn a ddaeth yn agos iawn at ladd Ffion, Josh a Ruth hefyd...

Ysgydwodd Ffion ei phen. Doedd arni ddim eisiau meddwl am hwnnw gan ei bod hi'n breuddwydio gormod amdano fo eisoes, diolch yn fawr.

'Doeddet ti ddim yn eu nabod nhw, felly?' gofynnodd Ruth, am y KKK.

'Nag o'n.'

Doedd hi ddim yn adnabod llawer o drigolion eraill fflatiau Rhyd-y-felin, chwaith. Dyna sut roedd pethau yno – pawb yn meindio'i fusnes ei hun ac yn aros adre, y drysau a'r ffenestri dan glo bob nos pan nad oedd yn rhaid iddyn nhw fynd allan. Câi Ruth drafferth i ddeall hyn. Roedd hi'n byw mewn stryd o dai moethus lle byddai'r cymdogion i gyd yn edrych ar ôl ei gilydd ac yn cyfarch ei gilydd ar y stryd.

Oedd, roedd hwnnw'n fyd arall, meddyliai Ffion yn amal. Un diwrnod mi fydda i a Josh yn cael byw yn y byd hwnnw. Un diwrnod...

'Roedd y tair yn edrych yr un fath hefyd, erbyn

meddwl,' meddai Ffion am y merched. 'Gwalltiau wedi'u lliwio'n felyn ac wedi'u torri'n gwta mewn... be ma nhw'n 'i alw fo? Pixie crop?'

'Ia, dwi'n meddwl,' atebodd Ruth. 'Be... oes yna gang ohonyn nhw, ti'n meddwl?'

''Mond tair welis i neithiwr, ond pwy a ŵyr? Synnwn i ddim. Bydd yn rhaid i mi ofyn i Josh ydi o'n gwybod rhwbath amdanyn nhw.'

'Wel, os ydyn nhw mor hawdd i'w hadnabod â hynny,' meddai Ruth, 'bydd yn rhaid gofyn am y tâl cyn mynd â nhw adra'r tro nesa.'

Nodiodd Ffion, ond meddyliodd: Mi wna i fwy na hynny'r tro nesa y gwela i'r tair yna.

6

Rhywun arall oedd yn ei chael hi'n anodd peidio
â meddwl am y llofrudd hwnnw oedd DC Arthur
Jones. Yn bennaf oherwydd iddo ddod mor agos
at ladd yr unig ddau berson ar y blaned a olygai
rywbeth i Arthur.

Sef, Ffion a Josh.

Ar ôl i bethau dawelu, roedd Arthur wedi
gobeithio y byddai'r holl helynt cas wedi dod â
nhw eu tri'n nes at ei gilydd, ac y byddai Ffion
wedi caniatáu iddo chwarae rhan fechan yn ei
bywyd hi a Josh. Ond dim ffasiwn beth. Roedd
Ffion wedi dangos iddo'n glir nad oedd ganddi
unrhyw fwriad o ddweud wrth Josh mai Arthur
oedd ei dad.

'Ond ma gynno fo hawl i ga'l gwybod,'
protestiodd Arthur droeon.

'Oes, ac mi ddweda i wrtho fo,' oedd ateb
Ffion, 'pan ofynnith Josh. Ond dydi o erioed
wedi gofyn, Arthur. 'Sgynno fo ddim diddordeb
ynot ti.'

Roedd y sgyrsiau hyn yn gwneud i Arthur
deimlo fel curo'i ben yn galed yn erbyn y wal
frics agosaf. 'O leia gad i mi dy helpu di – eich
helpu chi o bryd i'w gilydd, pan fydd petha'n
dynn arnat ti.'

Ond 'na' pendant oedd ateb Ffion bob tro.

Wedi mynd allan am smôc i gefn swyddfa'r heddlu roedd o. Neidiodd wrth i DI Jenny James agor y drws y tu ôl iddo. Dynes dal yn ei thridegau hwyr oedd Jenny James, â llond pen o wallt coch amhosib ei drin. Edrychai bob amser fel petai newydd godi o'i gwely.

Gwenodd Jenny pan welodd Arthur yn edrych yn euog – doedden nhw ddim i fod smocio o gwbl ar dir yr heddlu. Ond roedd Jenny'n smocio hefyd, ac wedi bod yno efo Arthur fwy nag unwaith.

'Sorri, Arthur,' meddai. 'Ma'n edrach yn debyg bod gynnon ni lofruddiaeth.'

'Shit.' Diffoddodd Arthur ei sigarét a dilyn Jenny 'nôl i mewn i'r adeilad. 'Lle?'

'Stad Rhyd-y-felin,' atebodd Jenny, a theimlodd Arthur ei du mewn yn troi wrth frysio ar ôl Jenny ar hyd y coridor.

7

ARHOSODD JOSH AMDANI Y tu allan i theatr yr ysgol. Mari, fel arfer, fyddai'r olaf i ddod allan o'r ymarfer.

'Pam na ddoi di i mewn, Josh? Wnaiff neb dy fwyta di, ysti.'

'Na... na, dwi'n gwybod.'

Edrychodd Josh ar flaenau ei esgidiau. Gwyddai ei fod wedi dechrau cochi.

'Fasa ddim ots gen ti...?' mwmiodd. 'Taswn i *yn* dŵad i mewn?'

'Wel, na fasa, siŵr. Pam w't ti'n gofyn?'

'Wel... ysti... dwi ddim isio i ti feddwl mod i'n niwsans.'

Rhythodd Mari arno, yna gwenodd a chydio yn ei fraich. 'Dydw i ddim, siŵr.'

A gwenodd Josh o glust i glust. Mentrodd edrych i lawr yn sydyn ar Mari'n cerdded wrth ei ochr, ei braich dde wedi'i lapio am ei fraich chwith yntau. Roedd yn bwrw glaw mân a gallai weld y dafnau'n britho gwydrau ei sbectol hi.

Roedd Josh wedi sylwi arni ers misoedd – merch dal a gwallt brown cwta a sbectol drwchus. Doedd o ddim wedi magu'r plwc i siarad â hi tan rhyw dair wythnos yn ôl. Roedd o wedi aros ar ôl yr ysgol i helpu'r gofalwr, ac ar ei ffordd allan bu bron iawn iddo daro yn erbyn Mari. Eglurodd

fod cyfarfod Cymdeithas Ddrama'r ysgol wedi'i
ganslo heb yn wybod iddi. Yna roedd hi wedi
craffu arno.

'Josua w't ti, yn de?'

Gwingodd Josh. 'Josh,' meddai. 'Plis, Josh.
Ocê?'

Ei enw llawn oedd Geraint Josua McLean,
ond roedd Josh wedi penderfynu ar 'Josh
McLean' ers blynyddoedd, bellach. Aeth Mari
yn ei blaen i ddweud fod 'Josua', yn ei barn hi,
yn enw gwych. Adroddodd hanes rhyw foi yn
y Beibil o'r un enw, rhywun oedd wedi achosi
i waliau rhyw ddinas syrthio i'r llawr, dim ond
drwy ganu trwmped, neu rywbeth tebyg. Roedd
hi'n gwneud Astudiaethau Crefyddol fel pwnc,
meddai wrtho, ac yn mynd i'r capel ar ddydd
Sul.

Erbyn iddyn nhw ffarwelio'r diwrnod
hwnnw, credai Josh ei fod o wedi syrthio
mewn cariad. Hwn, penderfynodd, oedd y
real McCoy. Roedd wedi credu cyn hyn ei fod
mewn cariad – gydag ambell eneth o'r ysgol,
gyda'r actores Emma Watson o'r ffilmiau Harry
Potter, a'r ddynes sy'n darllen y shipping
forecast. Roedd o wedi syrthio mewn cariad
efo'i llais ar y radio.

Ond sylweddolodd yn awr mai dim ond
cryshys llipa oedd y rheiny. Roedd yr hyn a

deimlai tuag at Mari'n wahanol – fel profi'r
pizza drutaf oedd ganddyn nhw yn Pizza Hut ar
ôl byw ar greision ready salted.

Roedd bywyd, o'r diwedd, yn dechrau gwella.
Yr unig gwmwl ar ei orwel yn awr oedd y
Nadolig.

Sut oedd o am fyw drwy'r gwyliau hir heb ei
gweld?

8

'Ro'n i'n ofni fod rhywbath wedi digwydd i chdi, pan gurodd y ddau gopar yna ar y drws,' meddai Ffion. Rhwbiodd ei llaw dros gorun Josh wrth gerdded heibio iddo at y sinc. 'Doeddat ti ddim yn nabod yr hogyn yna, gobeithio?'

Ysgydwodd Josh ei ben. ''Mond gwybod amdano fo, yn de. Stici Scott...'

'Pam "Stici"?'

'Dwi'm yn gwybod. Dyna be roeddan nhw'n 'i alw fo, dwi ddim yn gwybod pam.'

Ond roedd o wedi cochi, sylwodd Ffion. Trodd oddi wrth Josh dan wenu iddi'i hun. Roedd yn amlwg fod rhyw reswm rhywiol y tu ôl i'r llysenw 'Stici'. Byddai Josh yn gallu treulio oriau'n gwylio DVDs am bobol yn cael eu lladd yn y ffyrdd mwyaf erchyll. Ond, eto i gyd, byddai o'n dal i gochi at ei glustiau bob tro y byddai ei fam yn crybwyll unrhyw beth yn ymwneud â rhyw. Ond o leia roeddan nhw'n siarad efo'i gilydd bellach.

Yn gynharach heddiw roedd hi wedi ateb y drws a gweld dau aelod o'r heddlu'n sefyll yno. Wrth gwrs, y person cyntaf a neidiodd i'w meddwl oedd Josh. Ond holi o ddrws i ddrws roedden nhw – dau mewn iwnifform, diolch byth, ac nid DC Arthur Jones.

Dyna pryd y clywodd Ffion gyntaf am farwolaeth Scott Andrews. 'Welsoch chi unrhyw beth amheus neithiwr?' Dyna oedd eu cwestiwn.

'Mi ddois o fewn dim i chwerthin yn 'u hwyneba nhw,' meddai wrth Josh. 'Does ond isio i rywun sbio allan dros y balconi yn y lle yma i weld petha doji iawn yn digwydd.'

A sôn am bethau doji...

'Gyda llaw,' meddai wrth Josh. 'W't ti'n gwybod unrhyw beth am y genod sy'n mynd o gwmpas y lle 'ma mewn gang? Ma nhw i gyd wedi torri'u gwalltia'n gwta, a'u lliwio'n felyn. A ma enw pob un ohonyn nhw'n dechra efo *K*. Ne' felly roedd enwa'r tair dois i ar 'u traws nhw, beth bynnag. Karina, Kirsty a Kelly, os dwi'n cofio'n iawn.'

'Dydach chi ddim wedi gneud dim byd i bechu'n eu herbyn nhw, gobeithio?' Swniai Josh yn bryderus.

Adroddodd Ffion yr hanes am neithiwr wrtho. 'Aros di nes i mi'u gweld nhw eto...' gorffennodd.

'Na, Mam!' meddai Josh ar ei thraws, mor bendant a ffyrnig nes i Ffion droi tuag ato.

'Josh...?'

'Pidiwch chi â meiddio deud 'run gair wrthyn nhw, dach chi'n clywad? Ma'r rheina'n beryg, ocê?'

'W't ti'n 'u nabod nhw neu rwbath?' gofynnodd Ffion.

'Dwi'n gwybod pwy ydyn nhw,' atebodd Josh. 'A dwi'n gwybod digon i gadw'n ddigon pell oddi wrthyn nhw.'

'Be, criw o genod bach gwirion fel y rheina?'

'Ia. Ma nhw'n waeth o lawar na'r hogia.'

Doedd Ffion ddim yn ei goelio, roedd yn amlwg.

Ochneidiodd Josh. 'Ylwch, ma nhw i gyd yn cario cyllyll Stanley i bob man, a does dim ots ganddyn nhw'u defnyddio. Os rhwbath, ma nhw'n mwynhau eu defnyddio nhw. Plis, Mam, anghofiwch am nithiwr, wnewch chi? Plis?'

Gwelodd Ffion fod Josh o ddifrif. Nodiodd. 'Ocê, Josh. Ond be ydw i fod i'w neud os byddan nhw'n dŵad i mewn i'r tacsi eto?'

'Mynd â nhw adra a pheidio â gwneud ffys os nad ydyn nhw'n talu. A dwedwch wrth Ruth am wneud yr un peth, iawn?'

'Ond... be am y cops? Does 'na neb wedi...?'

Yna gwelodd fod Josh yn edrych arni fel tasa hi'n hollol hurt. Jôc oedd yr heddlu ar stad Rhyd-y-felin.

9

'Jôc ydi'r heddlu ar stad Rhyd-y-felin,' taranodd DCI Lewis.

Doedd o ddim yn ddyn hapus. Canlyniad yr holl ymholiadau o ddrws i ddrws oedd...

'Bygyr ôl,' meddai Lewis. 'Dyna be gawson ni heddiw. Basa rhywun yn meddwl fod y Scott Andrews yma'n byw mewn ogof ar ei ben ei hun. Does yna neb ar y ffycin stad yna erioed wedi clywad amdano fo, meddan nhw.'

Roedd ei wyneb, a hyd yn oed ei gorun moel, yn biws erbyn iddo orffen.

Cafodd Scott Andrews lawer iawn mwy o sylw ar ôl iddo farw nag a gawsai o erioed pan oedd o'n fyw. Roedd lluniau ohono i fyny ar y bwrdd gwyn anferth ar y wal – un ohono'n fyw, wedi'i gymryd o ddrôr yn ei fflat, a hanner dwsin ohono'n swpyn gwaedlyd, marw.

'Arthur?' meddai Lewis. 'Be'n union ydan ni'n 'i wbod am Scott Andrews?'

Cliriodd Arthur ei wddf cyn siarad.

'Scott Anthony Andrews, dau ddeg dau oed. Yn ddi-waith yn swyddogol, ond yn gwneud pres bach del drwy ddelio mewn cyffuria. Yn ôl y dryg sgwad, pysgodyn bychan iawn oedd o. Roedden nhw fwy neu lai wedi rhoi'r gorau i'w wylio fo, wedi penderfynu nad oedd o'n ddigon pwysig i'w harwain nhw at 'run o'r delwyr mawr. "Stici" Scott oedd o i bawb ar y stad,' meddai. Eglurodd am wendid y diweddar Mr Andrews am bornograffi.

Cododd ei ben o'i lyfr nodiadau. Doedd dim angen y llyfr arno go iawn gan fod yr holl wybodaeth ganddo yn ei ben.

'Go brin fod neb wedi cymryd hwn o ddifrif,' meddai. 'Yn sicr, doedd ganddo ddim cariad. Roedd o'n tueddu i godi'r crîps ar y rhan fwya o ferched, a dim ond mynd ato fo er mwyn prynu cyffuria fyddai pawb. Fel arall, tipyn o loner oedd o. Cafodd ei fagu mewn cartrefi gofal – ei fam wedi cymryd gormod o'r heroin anghywir pan oedd o'n fawr hŷn na babi. Duw a ŵyr pwy oedd 'i dad o. Eto yn ôl y dryg sgwad, mae sawl Scott Andrews o gwmpas y lle 'ma – broc môr y gymdeithas, ond yn handi i'w defnyddio gan y delwyr mawr. Pobol na chawson nhw unrhyw gyfla erioed,' gorffennodd.

'Oedd gynno fo ffrindiau o gwbwl?' holodd rhywun arall.

'Neb rheolaidd,' atebodd Arthur. 'Roedd o i'w weld efo criw o hogia tebyg iddo fo, rhyw ddau neu dri, ond ddim ers tua blwyddyn bellach.'

Caeodd ei lyfr nodiadau.

'Diolch, Arthur,' meddai'r DCI. 'Yn ôl y patholegydd fforensig, mae'n debyg iddo gael ei ladd yn oriau mân y bore. Cafodd ergyd go galed ar ei ben â morthwyl yn gyntaf, rydan ni'n meddwl, ac yna roedd rhywun wedi curo peg dur i mewn i'w ben, drwy'i dalcen. Pa ergyd yn union laddodd o, dydan ni ddim yn siŵr ar hyn o bryd. Mi fyddan ni'n gallu deud yn well ar ôl derbyn canlyniadau'r post mortem.'

Roedd y stafell yn hollol dawel, â llygaid pawb wedi'u hoelio ar y lluniau cyfoglyd ar y bwrdd gwyn.

'Un o'i "gwsmeriaid" a'i ffeindiodd o fore heddiw,' aeth y DCI yn ei flaen. 'Roedd wedi galw yno a sylweddoli nad oedd y drws ar glo. Ei gweiddi a'i sgrechian hi a ddenodd sylw PC Sandra Hill. Mae gynnon le i ddiolch iddi. Fel arall, basa pawb o'r stad wedi martsio i mewn ac allan o'r fflat yna cyn i ni gyrraedd.'

Trodd pob pen yn y stafell i edrych ar y blismones ifanc a oedd wedi cochi at ei chlustiau.

'Doedd yna ddim cyffuria yn y fflat neithiwr,' meddai'r DCI. 'Mae hynny'n beth od, a deud y lleia. Ond roedd caead sistern y toiled wedi'i dynnu...' Clywyd ambell bwff o chwerthin dilornus ar hyn. 'Ia, wn i, wedi'u cuddio yn y lle mwya amlwg. Ond dydan ni ddim yn sôn yma am foi sy wedi ennill *Mastermind*, cofiwch. Ma'n edrych yn debyg bod rhywun wedi mynd yno i brynu cyffuria, wedi gweld ei gyfle a dwyn y blydi lot. Jenny?'

Roedd Jenny James wedi codi'i llaw. 'Pam aethon nhw i'r holl drafferth, felly, syr?'

'Ma'n ddrwg gen i?'

'Wel... yr ergyd gynta, efo'r morthwyl neu be bynnag oedd o. Ia – mi fedra i ddallt hynny. Ond y busnas 'na efo'r peg? Mae o... wel, yn ddiangan, dydach chi ddim yn meddwl?'

Nodiodd Arthur. Dyna'r union beth oedd wedi'i daro yntau hefyd. Fel arfer byddai jyncis yn tueddu i ymosod, cipio a dianc cyn gynted ag y medren nhw. Doedden nhw ddim yn aros o gwmpas nag yn lladd rhywun mewn ffordd mor ddramatig.

Chwiliodd drwy'r rhestr o'r holl eitemau a gafwyd yn fflat Scott Andrews. 'Does yna ddim sôn yma am unrhyw offer gwersylla o gwbl,' meddai. 'A doedd Scott Andrews ddim yn un am betha felly.' Edrychodd i fyny. 'A dwi ddim eto wedi dod ar draws jynci sy wastad yn cario morthwyl a phegiau pabell efo fo i bobman.'

Roedd y DCI yn nodio ffwl sbîd. 'Yn hollol,' meddai. 'Y teimlad ges i oedd fod pwy bynnag a wnaeth hyn wedi mynd yno efo'r bwriad o'i ladd o.'

'Beth sy gan y criw SOCO i'w ddweud?' holodd rhywun arall.

'Ma nhw'n dal yno,' meddai'r DCI am y criw o dechnegwyr *scene of crime*. 'Ond roeddan nhw bron â chrio'n gynharach. Ma'r fflat yna'n frith o wahanol olion bysedd a DNA, fel tasa'r stad gyfan wedi crwydro i mewn ac allan o'r lle dros y misoedd diwetha.'

'Yr hyn dwi'n ei ofni,' meddai, 'ydi fod rhywun wedi lladd Scott Andrews fel math o rybudd i'r dealers eraill. Rhybudd, efallai, fod rhywun newydd wedi landio yma. Rhywun sy isio cael gwared ar yr hen griw sydd yma'n barod.' Edrychodd o gwmpas y stafell. 'A'r peth ola rydan ni'i angen ydi rhyfel cyffuria yn y dref yma.'

10

Roedd Kelly Johnson yn hoffi meddwl amdani'i hun fel rhywun caled. Ond doedd hi ddim wedi gallu cysgu'n dda iawn ers iddi alw yn fflat Scott Andrews. Roedd hi wedi cipio'r bag plastig, llawn cyffuriau oedd wrth ei ochr ar lawr y stafell ymolchi.

Byddai Scott yno bob tro wrth iddi drio cysgu, â'i lygaid agored yn syllu arni ac yn ei dilyn i bobman. Pan ddechreuai Kelly bendwmpian, breuddwydiai am Scott yn codi ac yn dod amdani â bybls pinc o waed yn berwi ar ei wefusau...

Trwodd yn y stafell fyw, syllodd Kelly ar ei thad yn gorwedd yn swpyn meddw ar y soffa. Mae hwn, meddai wrthi'i hun, ddeng mlynedd yn iau na Brad Pitt. Ysgydwodd ei phen. Anhygoel. Edrychai'n fwy fel taid Brad Pitt. Roedd o'n arfer bod yn dipyn o hync, a dweud y gwir, ac oedd, roedd o yn edrych fel yr actor hwnnw ar un adeg. Roedd gan Kelly lun wedi'i guddio yn ei hystafell ohono efo'i mam. Yr unig lun o'i mam oedd ganddi, am fod ei thad wedi rhwygo gweddill y lluniau ddiwrnod ar ôl i'w mam ei adael am rywun arall.

Chwech oed oedd Kelly ar y pryd. Erbyn hyn, roedd dros ddeng mlynedd ers iddi weld ei mam. Lle roedd hi rŵan? Duw a ŵyr. Cawsai'r llun ei dynnu yn y dafarn – lle arall, meddyliai'n chwerw. Eisteddai ei rhieni ochr yn ochr dan boster yn hysbysebu dawns Nadolig yn y ganolfan hamdden leol. Roedd ei mam yn gwisgo cap Siôn Corn ac yn dal gwydryn i fyny i'r camera.

Ond doedd hi ddim yn gwenu, ac i Kelly, roedd hi'n edrych fel tasa hi'n dweud ta-ta. Yn wir, erbyn y flwyddyn newydd, roedd hi wedi diflannu.

Bob tro yr edrychai ar y llun, byddai Kelly'n hel meddyliau. Yn bendant byddai'n chwilio amdani rywbryd. 'Dwi am ddod o hyd i ti, y bitsh, ac mi gawn ni weld wedyn sut bydd yr wyneb del yna'n edrych ar ôl i mi ei aildrefnu efo 'nghyllell. Fydd yna'r un dyn isio sbio arnat ti wedyn, y slag.'

Cyn mynd allan o'r fflat, syllodd Kelly ar ei thad unwaith eto. Doedd o ddim wedi symud yr un fodfedd. Mor hawdd, meddyliodd, fasa rhoi clustog dros ei wyneb ac eistedd arno. Waste of space, dyna be oedd o bellach.

Falla, un diwrnod…

Aeth allan i'r nos.

11

'Pwy ydi hi, felly?' gofynnodd Ffion.

Edrychodd Josh i ffwrdd, ond roedd o wedi dechrau cochi. 'Pwy ydi pwy?' meddai.

'Josh, dwi ddim yn ddwl, ysti.'

'Nac dach?'

'Hoi! Watch it! Ma gen ti gariad, yn does?'

Ia, wel, dyna'r cwestiwn mawr, meddyliodd Josh. Oedd o a Mari'n gariadon? Ynteu'n ddim byd mwy na ffrindiau? Doedden nhw ddim wedi bod allan efo'i gilydd. Yn wir, doedden nhw ddim wedi gwneud unrhyw beth mwy na cherdded o'r ysgol efo'i gilydd.

Doedden nhw ddim eto wedi cusanu – er bod gan Josh ei obeithion. Roedd y ffordd y byddai Mari'n gafael yn ei fraich yn awgrymu wrtho eu bod nhw'n fwy na dim ond ffrindiau... yn doedd?

O, blydi hel, dwi ddim yn gwybod!

Edrychodd i fyny. Roedd ei fam yn syllu arno ac yn wên o glust i glust.

'Wel?'

'Nag oes...'

'O, Josh! Drycha, rw't ti'n cyrraedd adra'n hwyr o'r ysgol bob pnawn, ac ma dy feddwl di'n bell, bell i ffwrdd yn amal. A rŵan, rw't ti wedi cochi at dy glustia! Spill the beans, ya schmuck!

Pwy ydi hi?' Yna gwgodd Ffion. 'Plis... paid â deud wrtha i mai un o'r genod uffernol 'na ydi hi, un o'r genod "Ks" yna?'

'Naci, siŵr...'

'A-ha! Dwi wedi dy ddal di. Ma 'na rywun, felly!'

Edrychodd Josh o'i gwmpas yn wyllt, ond doedd yna ddim dianc. Safai Ffion yn nrws ei stafell wely, ac os na fyddai o'n neidio allan drwy'r ffenest...

'Ocê, ocê. Ond dydan ni ddim yn gariadon, reit? 'Mond yn ffrindia.'

Hyd yn hyn, beth bynnag, meddyliodd.

'Pwy ydi hi, 'ta?' pwysodd Ffion arno. 'Y ffrind newydd yma?'

'Dydach chi ddim yn 'i nabod hi...'

'Nac 'dw, dwi'n gwybod hynny. Dyna pam dwi'n gofyn pwy ydi hi,' meddai Ffion.

Roedd Josh, y creadur, yn gwingo ar ei wely. Ddylwn i ddim swnian arno fo fel hyn, meddyliodd Ffion, ond dwi mor falch ei fod o wedi ffeindio rhywun.

'Mari ydi'i henw hi, ocê?' meddai Josh.

'Mari. Ydi hi'n byw ar y stad yma?' holodd Ffion.

'Nac 'di...'

Gwell fyth, meddyliodd Ffion. 'Lle ma hi'n byw, felly?'

'Dwi ddim yn siŵr iawn lle'n union, dwi rioed wedi bod at ei thŷ hi. Ond mae o'n rhwla yng Nghoed Tabor, y tai newydd hynny.'

Nodiodd Ffion. 'Wn i. Dwi wedi bod yno droeon efo'r tacsi. Hei, ma'r rheina'n dai crand... reit posh, a deud y gwir. Reit, ty'd, dwi isio clywad mwy amdani hi.'

'Dwi'm yn gwybod llawar iawn mwy,' cyfaddefodd Josh. Dechreuodd Ffion brotestio, ond torrodd Josh ar ei thraws, 'Nac 'dw, onest. 'Mond ei bod hi'n astudio Cymraeg, Drama ac Astudiaetha Crefyddol...'

'Ma digon ganddi yn 'i phen, felly,' meddai Ffion. 'A ma hi'r un oed â chdi.'

'Yndi. Ac ma hi'n perthyn i Gymdeithas Ddrama'r ysgol. A...' Tawodd.

Ond roedd Ffion wedi sylwi. Wrth gwrs. Damia hi...

'A be, Josh?'

'Wel... ma hi'n mynd i'r capal.'

12

Roedd hi'n noson go brysur yn y Ship and Anchor y noson honno, ond byddai pob noson yn brysur yr adeg yma o'r flwyddyn, a hithau bron yn Nadolig.

Does dim ots gen i ei bod hi'n brysur, meddyliodd Mark Roberts. Y sŵn sy'n mynd ar fy nerfau i. Yn enwedig y ffycin miwsig Nadoligaidd yma. Yr un hen ganeuon pop bob blwyddyn, a'r rheiny'n hen fel pechod.

Roedd criw o ferched wrth y bwrdd nesaf, pob un ohonyn nhw'n feddw dwll. Staff rhyw swyddfa neu'i gilydd, tybiodd Mark, yn sgrechian chwerthin dros y lle, ac yn tynnu lluniau ei gilydd yn cydganu allan o diwn yn rhacs efo Slade a Wizzard.

Roedd o'n difaru iddo ddod allan.

Ond roedd o bron â drysu gartref yn ei fflat, yn teimlo fel petai'r waliau'n cau amdano. Roedd y babi yn y fflat gyferbyn wedi sgrechian drwy'r nos, a dim ond rwtsh oedd ar y teledu.

Ac roedd y busnes Stici Scott ar ei feddwl, hefyd. Roedd beth bynnag oedd wedi digwydd i'r idiot hwnnw wedi cynhyrfu'r bobol oedd yn cyflogi Mark. Doedd dim ots ganddyn nhw golli dealer bach dibwys fel Scott. Roedd digonedd o'r rheiny i'w cael, ond roedd y ffordd y cafodd o 'i ladd wedi'u hysgwyd. Roedd arnyn nhw ofn fod rhywun yn trio dweud rhywbeth wrthyn nhw – rhyw gang newydd, falla.

Ac wrth gwrs, roedd y llofruddiaeth wedi denu sylw'r heddlu, yn enwedig y dryg sgwad. Y neges a gawsai Mark, felly, oedd: cadwa'n ddigon pell o stad Rhyd-y-felin nes bod pethau wedi setlo.

Wel, doedd hynny ddim yn broblem. Roedd yn gas ganddo'r lle, er mai yno y cafodd ei eni a'i fagu. Roedd o a Scott Andrews yn ffrindiau da pan oedden nhw'n blant, ond roedd Scott wedi mynd yn fwy a mwy crîpi wrth iddo dyfu'n hŷn. Doedd Mark ddim wedi gallu dioddef edrych arno fo ers tua blwyddyn, ddim ers y noson wlyb honno pan...

Doedd arno ddim eisiau meddwl am y noson honno, y tro diwethaf iddo fo dreulio unrhyw amser efo *losers* fel Scott Andrews a Daido Harrison.

Gorffennodd ei ddiod. Roedd ar fin codi a mynd allan pan sylwodd ar ferch wrth y bar yn gwenu arno.

Edrychodd eto.

Ia, arno fo roedd hi'n gwenu, doedd dim dwywaith am hynny. Gwelodd hi'n edrych ar y merched meddw wrth y bwrdd nesaf, yna'n ôl ar Marc gan rowlio'i llygaid.

Gwenodd Mark yn ôl arni.

13

MEWN BAR ARALL YNG nghanol y dref, roedd dwy o'r tair K yn teimlo'n nerfus iawn.

Doedden nhw ddim yn hoffi'r ffordd roedd Kelly Johnson yn ymddwyn. Ddim o gwbl. I mewn ac allan o'r toiledau drwy'r amser, ac yn dod 'nôl bob tro gydag olion powdwr gwyn o gwmpas ei ffroenau.

'Dwi ddim yn leicio'r ffordd ma hi'n sbio arnon ni drw'r amser,' meddai Kirsty, ar ôl i Kelly ddiflannu drwy ddrws y toiled unwaith eto. 'Yn enwedig arnot ti, Karina.'

Nodiodd Karina. Roedd hi'n teimlo'n annifyr iawn. Os nad oedd hi yn y toiled, yna eisteddai Kelly yn rhythu arni. Fel cath yn rhythu ar lygoden, meddyliodd Karina, neu bry cop yn rhythu ar bryfyn bach oedd wedi hedfan i mewn i'w we.

'A lle ma hi wedi ca'l yr holl shit yna?' meddai Kirsty. 'Ma hi wedi stwffio gwerth cannoedd i fyny'i thrwyn heno 'ma.'

Dwi'n credu mod i'n gwybod lle cafodd hi'r holl gyffuria, meddyliodd Karina. Cawsai gip i mewn i fag Kelly'n gynharach. Roedd bag plastig ziplock ynddo fo. Bag eitha llawn. Tabledi, bagiau bychain plastig yn llawn powdwr, darn mawr o ddôp wedi'i lapio mewn papur ffoil...

Bag fel yna oedd gan Stici Scott, tan yn ddiweddar.

Cododd Karina a chipio'i bag. Roedd panig mawr wedi dod drosti'n sydyn.

'Dwi'n mynd,' meddai. 'Ti'n dŵad?'

'Be? Ond... be am Kelly?' meddai Kirsty, gan edrych yn nerfus i gyfeiriad y toiledau.

'Pam w't ti'n meddwl mod i'n gadael rŵan?' meddai Karina, a brysiodd o'r bar heb edrych i weld oedd ei ffrind yn ei dilyn.

Gydag un edrychiad nerfus arall i gyfeiriad y toiledau, cododd Kirsty a brysio allan ar ei hôl.

14

Y NADOLIG A'R FLWYDDYN Newydd, wrth gwrs, oedd yr adeg prysuraf yn y flwyddyn i gwmni tacsis Pandora's. Roedd Ruth a Ffion allan drwy'r dydd ac, yn achos Ffion yn enwedig, yn amal tan yn hwyr yn y nos. Peth da, felly, oedd y ffaith fod merched Ruth – Karin a Tess, gartref o'r coleg dros y gwyliau. Nhw fyddai'n ateb y ffôn yn y swyddfa ac yn dweud wrth eu mam a Ffion lle roedd angen mynd.

Am ychydig wedi un ar ddeg, cafodd Ruth alwad gan Tess.

'Lle ydach chi, Mam?'

'Newydd ollwng cwsmer yn Heol Fadog.'

'Grêt. Fedrwch chi fynd â merch o'r tu allan i Riddler's i Ryd-y-felin?'

Merch i Ryd-y-felin... Cofiodd Ruth yn syth am stori Ffion.

'Gest ti enw ganddi hi, Tess?'

'Y... do... Johnson. Kelly Johnson.'

Nodiodd Ruth iddi'i hun. Un o'r 'Ks'? Falla. Ond ar y llaw arall, roedd Kelly'n enw cyffredin iawn y dyddiau hyn, ac roedd yn ddigon posib fod sawl un yn byw ar stad Rhyd-y-felin.

'Iawn, Tess,' atebodd Ruth. 'Dwed wrthi am ddisgwyl y tu allan. Mi fydda i yno ymhen deng munud.'

Tybed...? Wel, mi gawn ni weld ymhen ychydig o funudau, meddyliodd Ruth.

Wrth yrru allan o Heol Fadog, cofiodd am rywbeth a ddywedodd Edmund Burke un tro: 'All that is necessary for evil to triumph is for good men to do nothing.' Roedd y geiriau yr un mor wir y dyddiau hyn, penderfynodd Ruth, ag yr oedden nhw dros ddwy ganrif a hanner yn ôl.

Wel, dyma i ni un 'good woman' nad ydi'n fodlon gwneud dim byd, meddai wrthi'i hun.

Gyrrodd Ruth yn benderfynol tua chanol y dref.

15

'YOU ALL RIGHT, LOVE?'

Edrychodd y ddau ddyn ar ei gilydd. Roedd y ferch ryfedd hon wedi dod allan o'r toiledau a cherdded yn syth at y man lle roedden nhw'n eistedd. Safai yno'n rhythu arnyn nhw fel tasan nhw wedi glanio o ryw blaned arall.

'Can we help you?'

Pwniodd un ohonyn nhw'r llall yn ei ochr. 'She's stoned, mate.'

Daliodd Kelly Johnson i rythu arnyn nhw, yn methu'n lân â deall sut roedd Karina a Kirsty wedi troi'n ddau ddyn tra oedd hi yn y toiled. Yn raddol, sylweddolodd beth oedd wedi digwydd – fod y ddwy arall wedi mynd a'i gadael hi yma.

'Bitshys!' meddai. 'Ffycin… bitshys!'

Trodd a brysio allan o'r bar, â chwerthin y ddau ddyn yn ei dilyn allan drwy'r drws.

Doedd dim golwg ohonyn nhw yn unlle. Rhegodd Kelly unwaith eto, a gwgu'n gas ar bawb a edrychai arni hi wrth iddyn nhw gerdded heibio. Gwthiodd ei llaw i mewn i'w bag a chymryd pilsen o'r bag plastig. Llyncodd hi heb hyd yn oed sbio arni. Roedd ei choesau'n teimlo'n drwm, fel petai ganddi goncrit yn ei sgidia.

Blydi Stici Scott! meddyliodd. Roedd y stwff yma i fod wneud iddi deimlo'n grêt. Ond, yn lle hynny, roedd arni eisiau beichio crio. Roedd y byd i gyd yn ei chasáu hi. Hyd yn oed ei 'ffrindiau' wedi rhedeg i ffwrdd oddi wrthi.

'Bitshys...' meddai unwaith eto, ond yn dawel y tro hwn. Dyna pryd y galwodd am dacsi. Roedd y rhif ganddi hi ar gof ei ffôn, diolch byth. Safodd gan bwyso yn erbyn wal y bar, ei breichiau wedi'u lapio amdani'n dynn a dagrau'n powlio i lawr ei hwyneb.

'Mam...' meddai. 'Mam...'

Yno roedd hi pan gyrhaeddodd y tacsi.

*

Mae hon yn ddistaw iawn, meddyliodd Ruth. Mae'n amlwg ei bod yn cynllwynio rhywbeth.

Roedd cryn dipyn o sniffian yn dod o sedd gefn y car, ond penderfynodd Ruth mai esgus crio roedd yr eneth. Cyn hir byddai'n cymryd arni ei bod am daflu i fyny ac yn rhuthro allan o'r car, fel y gwnaeth efo Ffion.

Wel, wnaiff hynny ddim gweithio, ddim efo fi. Yn wahanol i Ffion, a diolch i Ffion, dwi'n gwybod beth i'w ddisgwyl. A dwi'n gwybod beth i'w wneud.

Gwenodd Ruth yn dawel iddi'i hun wrth yrru allan o ganol y dref.

*

Ond roedd Kelly wedi anghofio popeth am y tro diwethaf iddi hi fynd adref mewn tacsi. Er iddo fod yn ddigwyddiad go fawr i Ffion ac yn ddigwyddiad anferth i Ruth, rhywbeth digon cyffredin oedd o ym mywydau genod fel Kelly Johnson.

Roedd y dabled a lyncodd hi'n gynharach wedi'i helpu. Teimlai Kelly fel petai hi'n gorwedd ar wely cyfforddus. Roedd ei meddwl, hefyd, wedi dechrau clirio rhywfaint. Gyda lwc, meddyliodd, byddai'n gallu cysgu heno heb freuddwydio am Stici Scott yn camu allan o'r cysgodion, yn waed i gyd ac efo'r peth hwnnw'n ymwthio o'i dalcen.

Yn lle hynny, roedd hi am freuddwydio am dalu'n ôl i'w dwy 'ffrind' am ei gadael...

Yna sylweddolodd nad oedd y tacsi'n mynd â hi adref.

'Hei! Lle ti'n mynd â fi?'

'Mi gei di weld rŵan,' meddai Ruth.

Edrychodd Kelly allan drwy'r ffenest a gweld eu bod nhw 'mhell o stad Rhyd-y-felin. Ac roedd y ddynes yn arafu ac yn rhoi arwydd ei bod am groesi drosodd i'r ochr arall.

Yno roedd swyddfa'r heddlu...

'Be ti'n neud?' gwaeddodd Kelly arni.

Croesodd y tacsi'r ffordd a pharciodd Ruth y tu allan i swyddfa'r heddlu.

'Mae arnat ti saith bunt a chwe deg ceiniog i mi'n barod,' meddai Ruth wrthi. 'A phedair punt pum deg ceiniog arall os wyt ti am i mi fynd â chdi'n ôl i ganol y dref, i gael tacsi arall.'

'Be?'

Trodd Ruth yn ei sedd a gwgu arni. Bobol bach, dydi hi ddim llawer hŷn na phlentyn, meddyliodd. Mae hi'n iau o lawer na fy merched i.

'Yli,' meddai wrth y ferch. 'Y noson o'r blaen, mi gest ti a dwy o'th ffrindiau lifft yn ôl i Ryd-y-felin gan dacsis Pandora's. Smaliodd un ohonoch chi fod yn sâl. Yna rhedoch chi i ffwrdd heb dalu.'

'Ddim y fi...' cychwynnodd Kelly, ond torrodd Ruth ar ei thraws.

'Ia, y chdi. Mae'r enw gynnon ni, Kelly Johnson. A dyma chdi eto heno. Felly mae arnat ti saith bunt a chwe deg ceiniog i ni, os gweli'n dda.'

Nodiodd Ruth i gyfeiriad drysau swyddfa'r heddlu. Roedd dau blismon yn sefyll yno ac yn edrych i gyfeiriad y car.

'Argol fawr, pwy ydach chi'ch tair yn meddwl ydach chi? Y? Pam ddylach chi gael lifft adra am ddim, tra bod pawb arall yn gorfod talu?' meddai Ruth wrthi'n chwyrn.

Dwi ddim yn coelio hyn, meddyliodd Kelly. Dwi ddim yn coelio fod hyn yn digwydd i mi.

Ond gwelodd fod y ddau blismon yn dangos cryn ddiddordeb yn y car. Doedd dim dewis ganddi.

'Ocê, ocê!' meddai. Edrychodd yn nerfus i gyfeiriad y ddau blismon. 'Mi wna i dalu, ocê? Jest cer â fi o'ma.'

'Saith bunt a chwe deg ceiniog. Mater bach iawn fydd i mi ganu'r corn ar y ddau ŵr bonheddig acw...'

'Ocê!'

Agorodd Kelly ei bag a thynnu papur degpunt ohono a'i wthio at Ruth. 'Hapus rŵan?'

'A dwy bunt a deg ceiniog arall os wyt ti am i mi fynd â chdi'n ôl i ganol y dref. Ond dwi'n fodlon anghofio'r deg ceiniog...'

'Ffor ffycs sêc...'

Chwiliodd Kelly yn ei bag a rhoi dau bishyn punt i Ruth.

'Diolch yn fawr,' meddai Ruth. 'Ma'n rhaid i chi ddysgu na fedrwch chi fynd o gwmpas y lle'n gwneud yn union fel dach chi'n teimlo.'

Gyrrodd yn ei hôl i ganol y dref.

'Dyma chdi,' meddai Ruth, ar ôl aros yng ngheg y sgwâr. Pwyntiodd at resaid o geir

Towncars. 'Defnyddia Towncars o hyn ymlaen, ôl-reit?'

Nodiodd Kelly'n araf. Roedd hi wedi chwarae efo'r syniad o wthio blaen y gyllell Stanley i mewn i wddf Ruth cyn mynd allan o'r car, ond roedd gormod o bobol o gwmpas. Ac roedd ei henw hi gan y cwmni tacsis, cofiodd.

Ond fyddai hi ddim yn anghofio am hyn. Cychwynnodd allan o'r car, cyn eistedd yn ei hôl a rhythu ar Ruth yn y drych.

'Rw't ti newydd neud uffarn o gamgymeriad,' meddai wrthi. Gwenodd ei gwên oer. 'Nadolig llawen...'

Aeth allan o'r tacsi a rhoi clep i'r drws.

16

MAE DYNION, PENDERFYNODD JAEL, yn greaduriaid pathetig iawn ar y cyfan. Dim ond tri pheth sydd ei angen arnoch.

Ychydig o glîfej.

Ychydig o glun.

A'r wên gywir i wahodd.

Ac yna maen nhw fel pwti yn eich dwylo.

Fel ag y mae hwn, meddyliodd am y dyn ifanc a orweddai ar ei gefn ar y gwely. Mark oedd ei enw, roedd wedi dweud wrthi'n gynharach. Mark Roberts. Ond roedd Jael yn gwybod hynny'n barod, wedi gwneud ei gwaith cartref wythnosau lawer cyn heno.

Penliniodd ar y gwely rhwng ei goesau. Heb dynnu ei llygaid oddi ar ei lygaid, tynnodd ei felt yn araf ac agor ei sip. Caeodd Mark Roberts ei lygaid a griddfan yn llawn pleser wrth i fysedd Jael gau amdano. Roedd y menig duon a wisgai hi'n teimlo'n fendigedig.

'Jael...' meddai.

'Sshh...' sibrydodd Jael.

Jael. Enw anghyffredin, meddai wrthi pan adawon nhw'r dafarn.

'Wel, dwi'n berson anghyffredin,' oedd ei hateb.

Cydiodd Mark ynddi fwy neu lai'n syth bìn ar

ôl cloi drws y fflat. Roedd ei dafod fel malwoden dew, anghynnes yn ei cheg, a aeth ei law i fyny ei sgert yn ddiseremoni.

Llwyddodd Jael i'w wthio oddi wrthi, ond gofalodd chwerthin yn chwareus wrth wneud hynny.

'Be ydi'r brys? Dwi ddim yn bwriadu mynd i nunlle am ychydig,' meddai wrtho. Gadawodd i'w llaw orffwys yn erbyn blaen ei drowsus.

'Dwi'n siŵr fod gen ti rywle sy chydig yn fwy cyfforddus na'r stafell yma,' meddai wrtho.

Pwti, meddyliodd wrth i Mark Roberts ei harwain, fel ci bach ufudd, i'r stafell wely. Doedd o ddim wedi disgwyl cwmni heno, roedd hynny'n amlwg. Doedd y gwely ddim wedi cael ei wneud ers dyddiau ac roedd yna bentyrrau o ddillad budron yma ac acw hyd y lle.

Reit, penderfynodd Jael, mae'n amser i mi ddechrau rheoli pethau. Trodd a gwthio Mark yn ei ôl nes iddo syrthio ar y gwely. Gwgodd arni nes iddo weld ei bod hi'n gwenu...

... y wên gywir...

... gwenodd arno mewn ffordd rywiol, a'i thafod yn dawnsio'n bryfoclyd dros ei gwefus isaf. Gwenodd yntau'n ôl wrth iddi chwifio'i bys arno fel petai hi'n ei ddwrdio am fod yn hogyn bach drwg.

'Fel dwedes i, ma gynnon ni ddigon o amser.'

Plygodd Jael a chodi'i droed dde a'i dal yn erbyn ei chlun er mwyn tynnu ei esgid. Roedd ei lygaid ar ei bronnau...

... ychydig o glîfej...

... wrth iddi blygu a thynnu ei esgid chwith. Yna cododd ei ddwy goes a'u gosod ar y gwely. Cododd waelod ei sgert...

... ychydig o glun...

... i fyny dros ei choesau a dringo ar y gwely nes ei bod yn penlinio rhwng ei luniau. Rhedodd flaenau ei bysedd i lawr dros flaen ei grys, cyn datod y botymau fesul un.

Roedd ei bag ganddi ar y gwely, ac agorodd Jael ef.

'Tybed be sy gen ti fan 'na...?' meddai Mark.

Edrychodd Jael arno ac yna ysgwyd ei phen.

'Na... na, dw't ti ddim cweit yn barod eto,' meddai.

Rhoddodd ei bag yn ei ôl i lawr ar y gwely wrth ei hochr. Roedd Mark Roberts yn wên o glust i glust. Mae o bron â marw eisiau gwybod be sy gen i yn fy mag, meddyliodd Jael, a bu'n rhaid iddi frwydro'n galed rhag chwerthin yn uchel. Bron â marw...

Tynnodd ei thop dros ei phen. Dwi ddim isio cael gwaed ar hwn, meddyliodd, wrth ei ollwng ar y llawr wrth droed y gwely. Gwenodd ar Mark Roberts. 'A-a-a!' dwrdiodd ef wrth iddo drio cydio yn ei bronnau. 'Ddim eto...' Llusgodd flaenau ei bysedd dros ei fron a'i dethi bach caled, gan wybod bod defnydd les y menig yn ei gynhyrfu'n lân. Tynnodd siâp cylch o gwmpas ei fotwm bol cyn rhedeg cledr ei llaw dros ei falog. Oedd, roedd o'n hollol galed.

Fe'i gwasgodd yn dyner rhwng ei bysedd. Caeodd Mark ei lygaid gan riddfan mewn pleser.

Tynnodd Jael flaen ei drôns i lawr er mwyn rhyddhau ychydig arno. 'Mmmm,' meddai. 'Mi faswn i'n deud dy fod ti'n barod rŵan. Be w't ti'n ei feddwl?' a rhoi gwasgiad fach sydyn arall iddo.

'Ydw. Ydw...'

Agorodd Jael ei bag unwaith eto, yna petrusodd ac edrych arno.

'W't ti'n siŵr?'

'Ydw!'

'Ocê,' meddai Jael, a thynnu'r morthwyl o'i bag. 'On your head be it...'

'Be...?'

Agorodd llygaid Mark yn llydan mewn braw ond chafodd o ddim rhagor o amser i feddwl, oherwydd ffrwydrodd y morthwyl yn erbyn ei dalcen.

Doedd yna ddim hanner cymaint o waed y tro hwn, sylwodd Jael wrth iddi sgrialu oddi ar y gwely. Roedd Mark Roberts wedi mynd allan fel golau cannwyll mewn corwynt. Er bod ychydig o waed wedi ffrydio i lawr dros ei lygaid, doedd o'n ddim i'w gymharu â'r gwaed oedd wedi pistyllio o ben Scott Andrews.

Mae'n rhaid fod y tu ôl i'r pen yn gwaedu'n haws o lawer na'r talcen, meddyliodd Jael. Neu bod gan Stici Scott ben anghyffredin o feddal.

Wel, mi gawn ni weld rŵan pa mor bengaled ydi hwn, meddyliodd wrth estyn y peg dur o'i bag a gosod ei flaen yn erbyn talcen Mark Roberts.

'Mark...' sibrydodd. 'Mark...'

Agorodd Mark Roberts ei lygaid am y tro olaf.

'Ta-ta,' meddai Jael.

Cododd y morthwyl eilwaith...

17

Weithiau, mae bywyd yn gallu bod yn eironig iawn.

CHIS ydi'r term am rywun sy'n sibrwd ambell bwt o wybodaeth slei yng nghlust yr heddlu – Covert Human Intelligence Source.

A dyna'n union beth oedd enw iawn 'Chis'. Wel, fwy neu lai. Chiswell oedd ei enw, John Chiswell. Wrth gwrs, roedd gan dditectif profiadol fel DC Arthur Jones sawl 'Chis' o gwmpas yr ardal, ac ambell un yn fwy dibynnol na'r gweddill. Ond John Chiswell oedd ei glust a'i lygad ar stad Rhyd-y-felin.

Heddiw, roedden nhw'n cyfarfod ar hen stad ddiwydiannol y tu allan i'r dref, yn ddigon pell o Ryd-y-felin. Cyrhaeddodd Chiswell mewn hen racsyn o gar oedd mewn gwaeth cyflwr hyd yn oed na char Arthur. Gwisgai sgarff dros hanner gwaelod ei wyneb a chap gwlân wedi'i dynnu'n dynn dros ei wallt crychiog, coch. Gwyliodd Arthur ef yn edrych o'i gwmpas yn ofalus cyn dod i mewn i'r car ato.

'Diolch i ti am ddŵad, Chis.'

'Be, roedd gen i ddewis, felly?'

Cymerodd sigarét o'r paced a gynigiodd Arthur iddo. Agorodd fymryn ar ei ffenest a chwythu mwg allan i'r bore llwyd.

'Sgen i fawr o ddim byd i ti, Arthur,' meddai Chiswell. Gwelodd fod Arthur yn agor ei geg i ddweud rhywbeth, ond cyn i'r llall fedru dweud gair ychwanegodd, 'Y busnas 'na sy'n gysylltiedig â Rhyd-y-felin, dyna'r chwilan ddiweddara sy gen ti, yn de?'

Nodiodd Arthur. 'Dydan ni'r un fodfadd yn nes i'r lan, Chis. Wa'th bod yn onast, ddim.'

'Felly ro'n i'n dallt, o ddarllen y papura.' Gwenodd Chiswell am eiliad, yna sobrodd. 'Ma 'na gryn dipyn o gachu brics yn digwydd, Arthur, mi ddeuda i gymaint â hynny wrthot ti. Roedd y ffordd y cafodd yr hogyn yna'i ladd...' Ysgydwodd ei ben.

'Ia.'

'Be'n union w't ti'n 'i wbod am y Scott Andrews 'ma?' gofynnodd Arthur.

Cododd Chiswell ei ysgwyddau. 'Dim llawar. Does yna ddim llawar ers iddo fo ga'l gwaith fel dealer gin yr hogia mawr. Llai na blwyddyn. Doeddan nhw ddim yn siŵr ohono fo.'

'Wela i ddim bai arnyn nhw, am unwaith.'

'Yn hollol. Doeddan nhw ddim am 'i drystio fo efo'r stwff caled go iawn.'

Gorffennodd Chiswell ei sigarét a gollwng y stwmp allan drwy'r ffenest.

'Doedd yna ddim pwynt 'i ladd o, Arthur,' meddai. 'Doedd o ddim yn ddigon pwysig. Ac roedd rhywun arall yn delio yn 'i le fo cyn iddo fo oeri.'

'Mmmm, ia... dyna'r peth... Ond roedd o wedi pechu yn erbyn rhywun, Chis. Pwy oedd 'i fêts o?'

'Neb. Billy No Mates, os bu un erioed. Mi oedd o'n hongian o gwmpas y lle efo dau loser arall erstalwm, ond ddim ers dros flwyddyn bellach.'

'Pwy, felly?' gofynnodd Arthur.

'Daido Harrison oedd un...'

'Hwnnw? Arglwydd...'

'Yn hollol. Loser. A dydi'r llall fawr gwell.'

'Pwy ydi'r sbesimen hwnnw, felly?'

'Mark Roberts,' meddai John Chiswell. 'Y fo oedd contact Scott Andrews. Ond Arthur, dydi o'n neb.'

18

'W'T TI'N GNEUD UNRHYW beth sbeshial dros y Dolig?'

Ysgydwodd Mari ei phen. 'W't ti?'

'Nac 'dw. Styc yn y fflat efo Mam, ma'n siŵr, yn ffraeo dros bwy sy'n ca'l gwatshiad be ar y bocs. Bô-ring!'

Edrychodd Mari'n siarp arno, a gwelodd Josh fod rhyw gysgod tywyll wedi llenwi'i llygaid. Yna trodd ei phen oddi wrtho.

'Mari? Ti'n ocê?'

Nodiodd Mari. 'Ydw... sorri.' Gwenodd – gwên a oedd ychydig yn gam. 'Wrthi'n meddwl ro'n i am yr holl waith sy gen i i'w neud dros y gwylia. Ma gen i brosiect go bwysig ma'n rhaid i mi ei orffen.'

'O. Reit...'

Shit, meddyliodd Josh. Dyna fi wedi cael fy rhoi yn fy lle. Roedd Mari wedi gweld lle roedd y sgwrs yma'n arwain, ac wedi meddwl am esgus dros beidio â'i weld dros y gwyliau.

*

Dwi ddim yn gwybod be i'w neud!

Teimlai Josh fel sgrechian hyn dros y lle. Roedd Mari fel tasa hi'n gwneud ei gorau i osgoi unrhyw sôn am y Nadolig.

Dydi hynny ddim yn deud rhwbath wrthot ti, Josh? gofynnodd yr hen lais bach sbeitlyd hwnnw y tu mewn iddo fo. Nad oes ganddi hi ddim bwriad o brynu anrheg na cherdyn i ti, a'r peth olaf sy arni hi'i isio ydi rhywbeth gen ti.

Heblaw llonydd...

Ond, wrth gwrs, doedd arno ddim eisiau credu hynny. Byddai'n ofnadwy ffeindio, ar ddiwrnod olaf y tymor, fod Mari wedi prynu rhywbeth iddo fo wedi'r cwbwl, ac yntau wedi penderfynu peidio â phrynu unrhyw beth iddi hi.

Roedd o'n od ei bod hi'n osgoi trafod y Nadolig, hefyd. Roedd hi'n mynd i'r capel, meddai hi...

Ond efallai fod ei theulu hi'n rhy grefyddol i gyfnewid anrhegion â phobol eraill. Roedd Josh wedi gweld rhaglen deledu am deulu felly, teulu oedd yn credu bod y Nadolig modern wedi colli'i ystyr yn llwyr. Roedden nhw'n credu mai dim ond esgus ar gyfer gwario'n wirion ar bethau materol fel anrhegion a chardiau oedd yr Ŵyl. Iddyn nhw rhywun tebyg i'r diafol oedd Siôn Corn!

Ai pobol fel yna oedd teulu Mari?

Unwaith eto, doedd Josh ddim yn gwybod. Roedd cymaint o bethau nad oedd o'n eu gwybod am Mari, sylweddolodd.

Ac roedd yn rhaid iddo fo gyfaddef, po fwya yn y byd roedd o'n ei weld o Mari, yna lleia yn y byd roedd o'n ei wybod amdani. Pam ei bod hi'n mynd i'w ysgol o, er enghraifft? Roedd ysgol arall yn y dref, ysgol y Snobs, fel y câi ei galw, lle byddai disgyblion fel genod Ruth, partner ei fam yn y busnes tacsi, yn arfer mynd. Roedd yr ysgol honno'n nes o lawer at gartref Mari. Ond roedd Mari wedi cychwyn yn ei ysgol o 'nôl ym mis Medi.

O leia, meddyliodd Josh, dwi'n gwybod lle ma hi'n byw, ar ôl iddo sbecian yn slei yng nghofrestr yr ysgol. Penderfynodd fynd yno'r noson honno – dim ond at y tŷ, er mwyn gweld oedd yna goeden Nadolig neu addurniadau o unrhyw fath yn y tŷ. Os nad oedd, yna byddai'n gwybod nad oedd ei theulu'n rhai am ddathlu'r Nadolig. Os oedd, yna roedd ganddo bron i wythnos i feddwl am anrheg iddi.

19

ANODD OEDD PEIDIO â meddwl am Laurel a Hardy.

Eisteddai perchennog y garej, Michael Doyle, ar domen o hen deiars, yn edrych fel broga mawr tew. Ac wrth ei ochr, efo'i gorff yn denau fel corff ffurat ond ei wyneb yn hynod o debyg i lygoden fawr, eisteddai Daido Harrison.

'Dwi ddim wedi gweld Stici Scott ers dros flwyddyn,' meddai Daido. 'Dwi'n le-jit rŵan.'

'Lej-it? A chditha'n gweithio i hwn?' meddai Arthur, a gwgodd Michael Doyle.

''Swn i'n bod yn ofalus be dach chi'n 'i ddeud, DC Jones,' meddai. 'Ma hynna'n libel.'

Ysgydwodd Arthur ei ben yn ddigalon. 'Slander, ti'n feddwl, y twat tew.'

Ysgydwodd bol Doyle fel blymonj. 'Ffwcin hel, un da i siarad. Yn de, Daido? Un da i siarad...' Yna diflannodd ei wên pan welodd fod DI Jenny James yn trio sbecian i mewn drwy ffenest y garej. 'Hoi! 'Sgin ti warant, del?'

Gwgodd Jenny arno. 'Paid ti â 'ngalw i'n "del".'

'O, ocê. 'Sgin ti warant, hyll?' Gan wichian chwerthin, rhoes bwniad i Daido Harrison. Dechreuodd hwnnw chwerthin yn ufudd i'w fòs.

Collodd Jenny ei hamynedd. 'Ty'd, Arthur.

Rydan ni'n gwastraffu'n hamser efo'r ddau idiot yma.'

Trodd Arthur unwaith eto at Harrison. 'Be am Mark Roberts, Daido?'

'Be amdano fo?' gwenodd Harrison, ond diflannodd ei wên wrth i Arthur sefyll yno'n syllu arno. 'Dwi ddim wedi'i weld o, chwaith, ocê? Ers... o, ers...'

'Dros flwyddyn, mwn?' ochneidiodd Arthur.

Nodiodd Daido Harrison. 'Fel ro'n i'n deud, dwi'n le-jit rŵan. Ond mi ddeuda i un peth...'

'Be?'

'Dwi wastad wedi deud y basa Scott yn ca'l sticky end.' Pwniodd ei fòs.

Roedden nhw'n dal i rowlio chwerthin wrth i Jenny ac Arthur fynd i mewn i'w car a gyrru'i ffwrdd.

20

Parciodd Arthur wrth y palmant, gyferbyn â'r adeilad lle roedd fflat Mark Roberts.

'Pum munud,' meddai wrth Jenny James. 'Dyna'r cwbwl. Wyddost ti byth, falla y cawn ni gynnig panad a Jaffa Cakes.'

Edrychodd Jenny arno'n sarrug wrth agor drws y car. Gwastraff amser oedd hyn i gyd, yn ei barn hi. Ond byddai DCI Lewis yn eu bwyta'n fyw os na fasen nhw o leia'n siarad efo Mark Roberts. 'Un ris yn uwch na Scott Andrews' ar yr ysgol gwerthu cyffuriau. Dyna be oedd o, yn ôl Arthur.

Big deal, meddyliodd Jenny.

Roedd y fflat ei hun ar y llawr gwaelod. Curodd Arthur ar y drws.

Dim ateb.

Curodd eto, yn uwch y tro hwn.

'Mark!'

Ond roedd y fflat fel y bedd.

'Ty'd, Arthur, wir Dduw...'

Dilynodd Arthur hi allan o'r adeilad, ond yn lle mynd yn syth yn ôl i'r car, trodd i'r chwith a cherdded heibio i ochr yr adeilad.

'Arthur!'

'Fyddan ni ddim chwinciad, ma'am...'

Ochneidiodd Jenny a'i ddilyn nes iddyn nhw

ddod at ffenest stafell wely Mark. Roedd y llenni ynghau. Curodd Arthur ar wydr y ffenest.

'Mark! W't ti yna? Mark!'

Eto, dim ateb.

Ond sylwodd fod y ffenest fechan uwchben yr un fawr ar agor rhyw fymryn. Chwiliodd yn y sbwriel oedd o gwmpas y biniau a dod o hyd i frigyn go hir. Gwthiodd hwnnw i mewn drwy'r ffenest fechan, uchel a defnyddio'i flaen i agor ychydig ar y llenni.

Yna gwasgodd ei lygaid yn erbyn y ffenest a chraffu i mewn i'r stafell drwy'r bwlch rhwng y llenni.

Er bod y stafell yn dywyll, deuai digon o olau i mewn drwy'r ffenest iddo fedru gweld siâp Mark Roberts yn gorwedd ar ei gefn ar ei wely.

'Arthur...' dechreuodd Jenny.

'Na, mae o yma.'

Doedd bosib ei fod yn dal i gysgu? Curodd Arthur eto ar y gwydr, ond symudodd o ddim. Yna sylwodd Arthur fod braich chwith Mark Roberts yn hongian i lawr dros ochr y gwely, a blaenau ei fysedd bron iawn â chyffwrdd y carped ar y llawr.

Wrth i'w lygaid ddygymod â'r tywyllwch, gwelodd Arthur fod rhywbeth tywyll ar groen y fraich – streipiau, fel tasa rhyw blentyn wedi tynnu blaen pen ffelt dros ei gnawd.

'Shit...'

'Be?'

Camodd Arthur yn ei ôl er mwyn i Jenny fedru gweld. Cododd Jenny ei dwylo a'u dal yn erbyn ochr ei hwyneb, fel ffrâm o amgylch ei hwyneb, er mwyn iddi fedru gweld yn well i mewn i'r stafell. Yr eiliad nesaf, baglodd yn ei hôl gan deimlo'i stumog yn troi y tu mewn iddi.

MA'R STRYDOEDD YMA MOR dawel, rhyfeddodd Josh.

Doedd o erioed wedi bod yn y rhan yma o'r dref o'r blaen – dim ar ôl iddi dywyllu, beth bynnag. Roedd ceir wedi'u parcio'n dwt o flaen y tai, a'r golau i'w weld yn nifer ohonyn nhw. Sylwodd ar ambell goeden Nadolig, ond doedd yna'r un enaid byw i'w weld yn unman ar y strydoedd eu hunain. Na neb yn gyrru drwyddyn nhw, chwaith. Roedd yr holl beth ychydig yn sbŵci, a chafodd y teimlad fod y tai yn ei wylio'n ofalus wrth iddo gerdded heibio iddyn nhw.

Paid â bod yn stiwpid, meddai wrtho'i hun. Roedd ganddo berffaith hawl i gerdded ar hyd y strydoedd hyn, siŵr.

Dros y ffordd, gwelodd enw stryd Mari, Heol y Garn, ar glawdd y gornel. Croesodd a chychwyn ar ei hyd. Rhif 35 oedd rhif ei thŷ hi a dechreuodd gyfri'r rhifau wrth gerdded.

19... 21... 23...

Sylwodd nad oedd coeden Nadolig yn ffenest pob tŷ.

25... 27... 29...

Gallai weld rhif 35 rŵan, a suddodd ei galon ychydig o weld nad oedd gan y tŷ hwnnw, chwaith, goeden Nadolig yn y ffenest. Yn wir, roedd y tŷ yn hollol dywyll. Edrychodd i fyny at yr ystafelloedd gwely. Pa un, tybed, oedd stafell wely Mari? Roedd ffenest fawr uwchben ffenestri'r parlwr ffrynt, ac un ychydig yn llai uwchben y drws. Doedd dim golau i'w weld yn yr un ohonyn nhw.

Sylweddolodd ei fod o'n sefyll ac yn rhythu ar y tŷ, ac y gallai un o'r cymdogion ei weld wrth edrych allan... a galw'r heddlu'n syth, fwy na thebyg.

Trodd a chychwyn yn ei ôl. Efallai y câi fwy o lwc rownd y cefn. Roedd stryd gefn dywyll rhwng stryd Mari a chefnau tai'r stryd nesaf.

Cychwynnodd Josh ar ei hyd gan ofalu cyfri'r tai.

19... 21... 23... 25...

Pump arall i fynd. Gallai weld y tŷ yn awr, ac unwaith eto teimlai ei galon yn suddo gan nad oedd golau i'w weld ynddo.

Yna teimlodd ei droed yn sathru rhywbeth slwjlyd ac anghynnes. O, blydi hel! Efallai fod y stryd o flaen y tai fel pìn mewn papur, ond roedd o leiaf un ci neu gath wedi defnyddio'r stryd gefn fel toiled.

'Ffyc...'

Arhosodd i sychu gwadan ei esgid ar laswellt gwlyb wrth fôn y clawdd. Wrth iddo wneud hynny, clywodd sŵn traed ac yna sŵn giât gefn un o'r tai yn cael ei hagor. Aeth yn oer drosto. Byddai cael ei ddal yma'n stelcian yng nghysgodion tywyll y stryd gefn yn achosi mwy o broblemau na chachu ci ar wadan ei esgid.

Gwasgodd Josh ei hun yn erbyn y clawdd, gan obeithio bod y cysgodion yn ei guddio.

Yna sylweddolodd mai giât gefn tŷ Mari oedd newydd agor.

Plis, nid Mari ei hun, gweddïodd. Doedd arno ddim eisiau iddi hi ei weld yn loetran y tu allan i'w thŷ. Byddai'n beryg i'r hogan feddwl mai rhyw weirdo oedd o, rhyw *stalker* neu rywbeth tebyg.

Ond nid Mari oedd yno. Gwelodd Josh mai merch yn gwisgo côt law laes at ei thraed oedd wedi dod allan o'r tŷ. Merch â llond pen o wallt cyrliog, melyn. O'i guddfan yn y cysgodion, cafodd Josh gip ar sgert gwta a thop reit rywiol.

Edrychai am funud fel petai hi am ddod i gyfeiriad Josh, a cheisiodd yntau wneud ei hun mor fach â phosib yn ei gwrcwd yng nghysgod y clawdd. Doedd hynny ddim yn hawdd i rywun mawr fel Josh.

Ond yna trodd y ferch a cherdded i ffwrdd i lawr y cefnau. Gwyliodd Josh hi'n mynd, ei siâp yn glir yn erbyn golau oren y stryd ym mhen pella'r cefnau. Pwy oedd hi, tybed? Oedd gan Mari chwaer?

Ond os mai ei chwaer oedd hon, yna roedd y

ddwy'n annhebyg iawn i'w gilydd. Roedd hon fel model, yn ôl yr hyn a welsai Josh ohoni, tra bod Mari... wel, roedd yn rhaid iddo gyfaddef, doedd Mari ddim yn fodel, o bell ffordd.

Daeth allan o'i guddfan a chychwyn yn ôl i'w ardal ef o'r dref. Roedd mwy o gwestiynau am Mari'n ei boeni erbyn hyn na phan gychwynnodd allan awr ynghynt.

22

'MA'N EDRACH YN DEBYG ein bod ni'n gorfod cydweithio efo'r dryg sgwad, Arthur,' cyhoeddodd Jenny James. 'Bygyr!'

Plonciodd ei hun yn bwdlyd ar y gadair wag o flaen desg Arthur Jones.

'Be! Ni'n rhannu pob dim rydan ni'n 'i wbod efo nhw, a hwythau'n rhannu sweet FA efo ni, ia?' meddai Arthur. 'Dyna be ma "cyd-weithio" yn 'i feddwl, iddyn nhw.'

'Wn i, wn i. Dydi'r DCI ei hun ddim yn hapus am y peth. Ond sgynno fo ddim dewis, medda fo.' Roedd Jenny newydd fod yn swyddfa DCI Lewis. 'Mae o'n mynnu mai cyffuria ydi'r cysylltiad rhwng Roberts a Scott Andrews. Ac Arthur...' Edrychodd Arthur i fyny. 'A bod yn onast dwi'n rhyw led feddwl ei fod o'n iawn.'

Ochneidiodd Arthur ac edrych draw.

'Ty'd mlaen, Arthur!' meddai Jenny. 'Pa gysylltiad arall sy 'na? Heblaw'r ffaith fod y ddau'n nabod 'i gilydd ers pan oeddan nhw'n blant. Mi fedri di ddeud hynny am dri chwartar y bobol sy'n byw yn Rhyd-y-felin.'

'Dwi'n gwybod. Ond... y dull, Jenny. Y ffordd cafodd y ddau eu lladd. Ydi'r dryg sgwad yn gwybod am unrhyw gartel arall sy'n ca'l gwarad ar eu gelynion fel yna?' Ysgydwodd ei ben. 'Dwi ddim yn meddwl. Dydi'r blydi pegia yna ddim yn iawn, ddim yn ffitio'r dynion cyffuria 'ma. Yn enwedig efo dau mor ddi-nod ag Andrews a'r llall.'

'Ia.' Agorodd Jenny ei cheg yn llydan. Fel pawb arall o'r CID bellach, roedd hi wedi blino'n lân. 'Ti'n iawn. Go brin bod y dealers mawr yna'n gyfarwydd â'r Hen Destament.' Cododd Jenny. 'Coffi?'

'Plis.' Yna, wrth iddi droi, meddai Arthur, 'Sorri, wnes i ddim cweit dallt... Hen Destament?'

'Be? O ia... wel, pan o'n i yn yr ysgol, mi wnes i Ysgrythur fel pwnc ar gyfer TGAU. Ac... wel, dwi'n cofio'r stori 'ma, o'r Beibl. O'r Hen Destament. Am ryw ddynas yn lladd rhyw soldiwr.'

'Ia...?'

'Arthur, yr hyn wna'th hi oedd waldio peg pabell i mewn i'w dalcan o.'

23

DECHREUODD FWRW'N DRWM PAN oedd Ffion ar gyrion y dref. Crynodd. Ofnai ei bod yn dechrau hel am annwyd. Doedd dim syndod, chwaith, a hithau wedi bod yn gweithio oriau hirion yn ddiweddar. Heb sôn am yr holl bobol fyddai'n mynd i mewn ac allan o'i thacsi, gan anadlu pob mathau o jyrms i bobman.

Briliant! meddyliodd yn chwerw. Mi fydda i'n treulio'r Dolig yn y fflat ar fy nghefn yn fy ngwely, ac erbyn i mi wella, mi fydd Josh wedi sglaffio'r treats i gyd.

Canodd ei ffôn. Siaradodd gan ddefnyddio'r teclyn hands free.

'Ia?'

'Lle w't ti ar y fomant?' clywodd lais Ruth yn gofyn.

'Yn cyrra'dd yn ôl i ganol y dre.'

'Alli di bigo rhywun i fyny o Stryd Gibson? Rŵan, os yn bosib?'

'Lle ma fan'no?'

'Y... aros eiliad... o, y stryd nesa i Ffordd Clywedog.'

'A'r enw?'

'Jones. Sioned Jones. Rhif deuddeg. Mi fydd hi'n disgwyl amdanat ti, medda hi.'

'Ocê.'

Gyrrodd drwy Ffordd Clywedog, a weipars y car yn mynd ffwl sbid, a throi am Stryd Gibson. Tua hanner ffordd i lawr gallai weld ffigwr yn sefyll y tu allan i un o'r tai, o dan ymbarél, ac yn amlwg yn aros amdani. Arafodd. Gwelodd ferch ifanc yn gwisgo côt law laes a gwallt melyn cyrliog yn camu at ochr y palmant.

24

DRINGODD Y FERCH I mewn i gefn y tacsi. Ysgydwodd y glaw oddi ar ei hymbarél cyn ei gau, swingio'i choesau i mewn i'r car a chau'r drws. Llithrodd ar draws y sedd gefn nes ei bod hi'n eistedd reit y tu ôl i Ffion.

'Am noson ofnadwy,' meddai Ffion.

'Sorri...? O... ydi, ma hi,' atebodd yr eneth, fel petai hi ddim wedi sylwi ar y tywydd. Eisteddodd yno'n ddistaw am eiliad neu ddau, cyn sylweddoli bod Ffion yn disgwyl iddi ddweud wrthi lle i fynd.

'O! Ma'n ddrwg gen i... Heol y Garn, os gwelwch chi'n dda.'

'Iawn, dim problem.'

Be ma hogan neis fel hon yn ei wneud mewn lle fel hyn, ysgwn i? meddyliodd Ffion wrth yrru. Doedd y rhan yma o'r dref ddim yn lle cysurus iawn i fod ynddo. Hen weithdai oedd wedi gorfod cau ers blynyddoedd, eu ffenestri wedi diflannu; rhesi o dai teras a ddylai fod wedi cael eu condemnio ers tro; siopau a'u ffenestri a'u drysau wedi'u bordio.

Ceisiodd Ffion sbecian arni yn y drych, ond allai hi ddim gweld llawer iawn mwy na'i gwallt melyn, cyrliog a'i braich chwith, wedi'i lapio'n dynn am ei bag ysgwydd fel petai ar y ferch ofn i rywun ei gipio oddi arni.

'Heol y Garn,' meddai Ffion. 'Yng Nghoed Tabor ma honno, yn de?'

Wrth iddi siarad, gwelodd Ffion y ferch yn rhoi naid fechan, fel tasa'i meddwl hi 'mhell i ffwrdd.

'Ia,' atebodd y ferch.

'Dydach chi ddim yn digwydd bod yn nabod hogan o'r enw Mari?' gofynnodd Ffion, cyn ychwanegu, 'Damia! Idiot!'

Roedd bws newydd dynnu allan o ochr y ffordd reit o flaen Ffion, heb roi unrhyw rybudd o gwbl. Fel arall, efallai'n wir y buasai Ffion wedi gweld ei chwsmer yn y sedd gefn yn neidio, ac wedi sylwi bod ei llaw wedi saethu i mewn i'w bag.

'Dwi'n deud wrthoch chi, ma'r gyrwyr bysys yma'n meddwl mai nhw sy bia'r ffordd. Dim bwys am neb arall.' Ysgydwodd ei phen mewn anobaith. 'Lle o'n i, deudwch? O, ia. Mari...'

Cliriodd y ferch ei gwddf.

'Dwi ddim yn 'i nabod hi,' meddai.

'Wel, dyna'r peth, dwi inna ddim chwaith,' chwarddodd Ffion. 'Ond ma hi wedi gneud cryn dipyn o argraff ar Josh, fy mab i.'

Ceisiodd Ffion symud ei phen i'r ochr er mwyn cael gweld ei chwsmer yn y drych, ond roedd hi'n eistedd reit yng nghornel y sedd gefn, yn y cysgod, a'i phen i lawr. Allai Ffion weld dim ond ei gwallt melyn, cyrliog. Disgwyliai iddi ddweud rhywbeth arall, ond eisteddai'r ferch yn llonydd heb ddweud yr un gair. Yn hollol stiff, rywsut, meddyliodd Ffion.

A, wel. Nid dyma'r tro cyntaf iddi gael cwsmer surbwch yn eistedd yn ei thacsi. Bydd fel yna ta, y bitsh snobyddlyd, meddyliodd.

O'r diwedd, trodd i mewn i Goed Tabor. Sylwodd hi ddim fod ei chwsmer wedi ymlacio ac yn tynnu ei llaw allan o'i bag ysgwydd. Yna gwelodd nad oedd ei llaw yn dal dim byd mwy bygythiol na'i phwrs arian.

25

Roedd DS Peter Robinson wedi cael llond bol erbyn iddo gyrraedd y Ship and Anchor. Roedd y glaw trwm wedi treiddio drwy'i esgidiau gan wlychu'i sanau a'i draed. Ar ôl ymweld ag un dafarn swnllyd ar ôl y llall roedd ei ben yn bowndian. Dangosodd lun o Mark Roberts i'r staff heb gael unrhyw ymateb heblaw ysgwyd pen diamynedd.

Cymerodd ddeng munud reit dda iddo fedru cyrraedd y bar. Cymerodd ddeng munud arall cyn iddo fedru denu sylw'r barmêd. Syllodd hithau ar y llun, yna nodiodd a phwyntio i'r gornel.

'Be?'

Edrychodd DS Robinson tua'r gornel fel petai'n disgwyl gweld Mark Roberts yn eistedd yno. Ond bloeddiodd y barmêd yn ei glust mai yno roedd Mark y noson cynt.

'Ar ei ben ei hun?' gofynnodd Peter.

'Y?'

'Oedd o ar ei ben ei hun?' bloeddiodd yn ei chlust.

Edrychodd y barmêd arno. Yna ysgydwodd ei phen.

*

Rhwbiodd DCI Lewis ei lygaid cyn edrych i fyny ar Jenny ac Arthur.

'Ydach chi'ch dau'n gall?'

'Syr...' dechreuodd Arthur.

'Drychwch ar y ddesg 'ma. Drychwch!' Roedd wyneb desg y DCI o'r golwg dan bentyrrau o bapurau a ffurflenni. 'Dwi'n gorfod edrych drw'r rhain i gyd cyn mynd adra heno. Y peth ola dwi'i angan ydi chi'ch dau'n dŵad ata i efo un o straeon tlws y Beibil!'

''Mond deud ydan ni, falla y dylen ni ystyried mai merch sy'n gyfrifol am eu lladd nhw,' meddai Jenny.

'Basa hynny'n egluro pam roedd y ddau mor barod i adael y llofrudd i mewn i'w fflatia,' meddai Arthur. 'Yn enwedig Mark Roberts. Doedd o ddim yn delio o'i fflat, yn ôl y dryg sgwad.'

'Fasa dim angan cymaint â hynny o nerth chwaith,' meddai Jenny. 'Cafodd Scott Andrews ei daro o'r tu ôl i ddechrau, yn ôl y PM.'

'Ydach chi'n sylweddoli mor hurt ma hyn yn swnio?' meddai'r DCI. 'Rydach chi'n trio deud wrtha i fod dau low-life fel y rhain wedi cael eu lladd gan ferch sy'n gwybod ei Beibil?' Ysgydwodd ei ben mewn anobaith. 'Anhygoel...'

Daeth cnoc ar y drws a brathodd DS Robinson ei ben i mewn i'r swyddfa.

'Syr...'

'Allan!' taranodd y DCI.

'Syr, ma'n ddrwg gen i, ond dwi'n meddwl bod gen i rywbath.'

Fflachiodd gobaith yn llygaid gleision y DCI. 'Diolch i Dduw! O'r blydi diwadd... wel?'

Roedd Peter Robinson yn gwenu fel giât.

'Dwi'n meddwl, syr,' meddai, 'ein bod ni'n chwilio am ferch.'

26

Roedd Robinson wedi bod wrthi'n brysur, chwarae teg iddo. Bu'n rhaid i Arthur hyd yn oed gydnabod hynny. Roedd wedi treulio dros ddwy awr yn swyddfa rheolwr y Ship and Anchor, yn craffu ar ddisgiau o'r camerâu CCTV, nes iddo gael cip ar Mark Roberts yn gadael y dafarn yng nghwmni merch ifanc. Ond, yn anffodus, dim ond ei chefn oedd i'w weld: digon i ddangos bod ganddi wallt hir melyn, ond dyna'r cwbwl. A doedd yr un o'r ddau gamera wedi'i dal yn dod i mewn i'r dafarn.

Wel, roedd yn well na dim, meddyliodd Peter, ac roedd o ar fin codi a gadael pan ddaeth y barmêd trwodd ato. Roedd criw o ferched wrth y bwrdd nesaf at Mark a'r eneth, meddai. Staff y cwmni gwyliau yn y stryd fawr, Globetrotters, allan yn mwynhau eu parti Nadolig.

'Ia, wel?' meddai'r sarjant. Roedd hi'n hwyr, roedd ei lygaid yn llosgi ar ôl craffu cyhyd ar y sgrin, ac roedd o wedi blino.

Y peth ydi, meddai'r barmêd, roedden nhw i gyd yn tynnu lluniau'i gilydd gyda'u ffôns a'u camerâu digidol. Falla, yng nghefndir un o'r lluniau...

Bu bron i DS Robinson ei chusanu.

Erbyn hynny roedd Globetrotters ar gau, ond

mater bach oedd dod o hyd i'r rheolwraig. Ar ôl dod dros y sioc o gael aelod o'r CID yn curo wrth ei drws, aeth i chwilio am ei chamera.

A doedd dim rhaid i Peter chwilio ymhellach, oherwydd ar ei chamera digidol hi roedd llun o ddwy o'i chyd-weithwyr. Yn glir yn y cefndir yr oedd Mark Roberts a'r ferch benfelen.

'Bingo!' ebychodd DS Robinson.

*

Ond nid house.

Pwy oedd y ferch yn y llun oedd y cwestiwn mawr, wrth gwrs. Gwrthododd y DCI â chynhyrfu gormod. Wedi'r cwbl, falla'n wir mai rhywun hollol ddiniwed oedd hi – rhywun oedd wedi gadael efo Mark Roberts, ie, ond wedi hen fynd adref erbyn iddo gwrdd â'r sawl a'i llofruddiodd.

Ond roedd yn bwysig eu bod yn dod o hyd iddi, petai ond er mwyn gallu anghofio amdani wedyn.

Drannoeth, dydd Sadwrn, byddai'r holi o ddrws i ddrws yn cychwyn go iawn.

'Gan gynnwys stad Rhyd-y-felin, wrth gwrs,' meddai'r DCI ar ddiwedd *briefing* olaf y dydd. 'Os medrwn ni gysylltu'r eneth yma efo Scott Andrews hefyd, yna mi fyddwn ni ar drywydd newydd,' gorffennodd gan daflu edrychiad i gyfeiriad Arthur a Jenny. 'Y trywydd cywir, gobeithio.'

27

OND DOEDD GWAITH Y noson ddim ar ben.

Ar ôl swper o chips, bacwn, wyau, sosej a bîns, aeth Michael Doyle yn ei ôl i'r garej, lle roedd o wedi gadael Daido Harrison yn gweithio'n hwyr. Roedd y llanc wedi mopio'i ben yn llwyr efo ceir, ac mi fasa fo'n gweithio drwy'r nos, a bob nos, tasa fo'n cael. Roedd hynny'n iawn, wrth gwrs, ond nid heno. Roedd yn rhaid i Michael Doyle sblasio yno drwy'r glaw er mwyn cloi'r lle, felly doedd o ddim yn ddyn hapus iawn.

Y peth cyntaf iddo sylwi arno wrth agor drws y garej oedd y gerddoriaeth bop yn bloeddio dros y lle. Roedd Daido'n gythral am wneud hyn – chwarae setiau radio'r ceir tra byddai o'n gweithio arnyn nhw.

'Daido!' gwaeddodd Michael Doyle.

Dim ateb. Roedd y garej yn llawn o geir wedi'u dwyn – ceir drud a fyddai'n cael cartrefi newydd ar y Cyfandir cyn bo hir. Roedd Doyle yn flin efo Daido'n barod am ddenu'r heddlu yno'r dydd o'r blaen. Y peth olaf roedd arno ei eisiau oedd i'r cops ddechrau sniffian o gwmpas y lle.

'Daido!' gwaeddodd unwaith eto, yn fwy blin y tro hwn.

Edrychodd o'i gwmpas. Lle ddiawl roedd yr

hogyn? Deuai'r canu pop o ben pella'r garej, a gwthiodd Michael Doyle ei fol tew i'r cyfeiriad hwnnw, rhwng y ceir.

Gwelodd fod coesau Daido'n ymwthio allan o dan y Mercedes oedd wedi cyrraedd yno ddeuddydd ynghynt – y car ar ddau jac a'r hogyn yn amlwg yn gweithio oddi tano.

Ac roedd y miwsig yn fyddarol. Dim rhyfedd bod yr hogyn wedi methu ei glywed yn galw.

Ochneidiodd Michael Doyle a cherdded ato.

'Hoi!' meddai a rhoi cic i goes chwith Daido, gan ddisgwyl gweld yr hogyn yn neidio.

Ond symudodd o ddim o gwbl. Gwylltiodd Michael Doyle.

'W't ti'n cymryd y *piss* neu be?' meddai gan gydio yng nghoesau Daido a'i lusgo allan o dan y car.

Rhythodd arno am eiliad, yn methu credu'i lygaid. Roedd wyneb Daido'n waed i gyd, fel tasa fo'n gwisgo mwgwd coch, a'i geg o'n llydan agored mewn poen, a'i ddau ddant melyn i'w gweld yn glir.

Ac yng nghanol ei dalcen roedd peg dur.

Trodd Michael Doyle i ffwrdd gan chwydu, yn rhy sâl i sylweddoli mor eironig oedd y gân ar y radio.

Y Beatles. Yn canu 'Maxwell's Silver Hammer'.

Tua'r un adeg, roedd merch ifanc yn prynu paned o goffi yng nghaffi'r ysbyty. Sylwodd y ddynes y tu ôl i'r cownter fod dwylo'r ferch yn crynu wrth iddi dalu am ei choffi.

'Are you all right, lovey?' holodd y ddynes.

Edrychodd Karina'n siarp arni, cyn nodio'n swta a mynd i eistedd efo'i choffi. Doedd hi ddim wedi arfer gweld pobol yn glên wrthi.

Gwyliodd y ddynes hi'n mynd. Roedd hi wedi dysgu, yma yn yr ysbyty, i beidio â holi gormod ar bobol. Ond yn gynharach roedd hi wedi sylwi ar y ferch hon yn dod i mewn, gyda merch arall, y ddwy efo'u gwalltiau wedi'u torri'n gwta a'u lliwio'n felyn. Roedd y ferch arall yn wyn fel y galchen ac yn dal cadach yn erbyn ei hwyneb a'r cadach yn goch gan waed.

*

Ffycin Kelly, meddyliodd Karina. Ffycin seico. Dyna be oedd hi – seico. Yn gynharach y noson honno roedd Kelly wedi troi ar Kirsty fel llewes er nad oedd honno wedi gwneud unrhyw beth iddi ond anghytuno am ryw gân crap yn y siartiau.

Rhuthrodd amdani efo'r gyllell Stanley honno yn ei llaw, a chrafu'i hwyneb nes bod y gwaed yn pistyllo.

Ac yna roedd hi wedi chwerthin fel dynes o'i cho.

Ia, wel, dyna be ydi hi, meddyliodd Karina. Dynes o'i cho. Dydi hi ddim yn ffit i'w gollwng yn rhydd. Roedd Kirsty bellach yn cael pwythau yn ei hwyneb: byddai craith ganddi am weddill ei bywyd, meddai'r doctor. Ac yna ychwanegodd, Dach chi'n dallt, ma'n rhaid i ni adael i'r heddlu wybod am hyn.'

Wedi i'r doctor adael, cydiodd Kirsty ym mraich Karina.

'Plis, paid â deud wrthyn nhw pwy wna'th, Karina!' crefodd arni. 'Plis, paid â deud am Kelly. Rw't ti'n gwybod sut ma hi. Mi fydd hi'n waeth arna i'r tro nesa os bydd hi'n meddwl mod i wedi achwyn amdani.'

Gwyddai Karina fod hynny'n wir. Ond roedd hi wedi meddwl am ffordd arall o dalu'r pwyth yn ôl i Kelly Johnson. Byddai'r heddlu'n dal i chwilio amdani, ond nid am yr hyn roedd hi wedi'i wneud i Kirsty.

Cyn iddi ddechrau hel gormod o feddyliau a chael traed oer, cododd Karina oddi wrth y bwrdd a mynd yn syth at y ffôn cyhoeddus. Cododd y ffôn. Deialodd. Pan atebwyd y ffôn, gofynnodd am gael siarad efo rhywun oedd yn gweithio ar lofruddiaeth Scott Andrews.

Siaradodd hi ddim yn hir. Brawddeg neu ddwy, a dyna'r cwbwl. Rhoddodd y ffôn i lawr pan ofynnon nhw beth oedd ei henw.

Dychwelodd at ei bwrdd. Roedd ei choffi'n dal yn gynnes.

Doedd ei dwylo ddim yn crynu'n awr, sylwodd.

Gwenodd.

29

Fe gawson nhw drafferth wrth arestio Kelly Johnson.

Ben bore trannoeth, ychydig cyn saith ar fore Sadwrn llwyd a llaith. Ei thad atebodd y drws, yn hurt, yn gysglyd ac yn hanner meddw. Daeth Kelly o'i hystafell wely, gweld yr heddlu wrth y drws, troi, a gwibio am y stafell ymolchi.

Ond roedd hi wedi bod yn ei helpu ei hun yn o hegar i stash Scott Andrews dros y dyddiau diwethaf. Er ei bod hi'n meddwl ei bod yn hedfan fel Supergirl, mewn gwirionedd roedd hi'n symud yn swrth ac yn araf.

Mi stranciodd Kelly a gwingo fel slywen yn nwylo'r heddlu, gan gicio a chrafu a hyd yn oed brathu. Mi lwyddodd i dynnu'i chyllell Stanley o'i phoced, ond chafodd hi mo'r cyfle i'w hagor, heb sôn am ei defnyddio. Ac wrth gwrs, roedd hynny'n rheswm arall dros ei harestio a mynd â hi i swyddfa'r heddlu.

Roedd criw mawr o bobol wedi ymddangos y tu allan i'r fflat, diolch i holl weiddi a sgrechian Kelly. Wrth iddi gael ei llusgo heibio iddyn nhw a'i gwthio i mewn i gefn y fan, cafodd Kelly gip sydyn ar un wyneb roedd hi'n ei nabod yn dda.

Wyneb Karina.

Ac roedd Karina'n gwenu o glust i glust.

*

Eisteddai Kelly wrth fwrdd mewn stafell gyf-
weld, a'i thad wrth ei hochr. Roedd yn amlwg
fod gan hwnnw hymdingar o hangofyr.

Yr ochr arall i Kelly eisteddai ei thwrnai
– merch ifanc, ddibrofiad a edrychai'n reit
nerfus. Ond roedd hi'n gwybod ei stwff. Roedd
hi a Kelly'n sibrwd wrth ei gilydd, tra gwingai
tad Kelly yn ei gadair, heb ddeall yn iawn pam
ei fod o yno o gwbwl.

Y tu allan i'r drws ym mhen pella'r coridor,
safai Arthur a Jenny'n smocio fel dau gorn
simdde.

'Felly...' meddai Jenny. 'Be ti'n 'i feddwl,
Arthur?'

Roedden nhw wedi bod yn holi Kelly Johnson
am dros awr. Dechreuodd Kelly'r sesiwn drwy
fod yn coci a chegog, yna aeth yn bwdlyd gan
eistedd yno'n dweud dim.

Ond roedd Kelly wedi newid ei hagwedd
ar ôl sylweddoli mai cael ei holi ynglŷn â
llofruddiaeth roedd hi.

'Na,' meddai. 'No way. Jest am 'ych bod chi'n
methu gneud 'ych jobs yn iawn, dach chi'n
pigo ar rywun-rywun i gymryd y bai.'

'Nid rhywun-rywun, Kelly,' meddai Jenny.
'Mi gest ti dy weld yn dod allan o fflat Scott

Andrews – yr union amsar pan gafodd o 'i ladd.'

'O, aye? Pwy, felly? Pwy welodd fi?'

Edrychodd Jenny'n gam arni. Roedd Kelly wedi trio gwenu, ond doedd yna ddim llawer iawn o hyder y tu ôl i'r wên.

'Neb,' meddai. 'Welodd neb mohona i. ''Cos do'n i ddim yno, ocê?'

Nodiodd Jenny ar Arthur. Tynnodd yntau dudalen o bapur o'i ffeil. 'Roedd hi'n gwisgo jîns glas a thop du o Next, a siaced ddenim,' darllenodd. 'Kelly oedd hi. Kelly Johnson.'

Ysgydwodd Kelly ei phen. 'No way...' meddai eto.

Ochneidiodd Arthur. Yna plygodd a chodi bag plastig swyddogol oddi ar y llawr. Ynddo roedd bag plastig arall, yn cynnwys y cyffuriau y cawson nhw hyd iddyn nhw yn stafell ymolchi fflat Kelly.

'Ma olion dy fysedd di, a rhai Scott Andrews, yn dew ar y bag yma, Kelly,' meddai. 'Rydan ni'n gwybod i ti fod yno.'

Roedd hynny o hyder oedd gan Kelly wedi diflannu erbyn hyn. Dyna pryd y gofynnodd am gael siarad efo'r gyfreithwraig.

Allan wrth y drws cefn, meddai Arthur wrth Jenny: 'Dwi ddim yn meddwl mai hi wna'th ei lofruddio.'

Ysgydwodd Jenny ei phen gan ochneidio. 'Na finna. Dydi hi ddim yn ffitio, Arthur, yn nac 'di?'

'Nac 'di. O, ma hi fel sarff wenwynig – yn fwy na digon tebol i ladd rhywun, ac i beidio â cholli'r un winc o gwsg ar ôl gneud.' Ysgydwodd ei ben. 'Falla fod Kelly Johnson yn gyfrwys, ond dydi hi ddim yn glyfar, Jenny. Go brin ei bod hi wedi clywad am yr Hen Destament. Ma hi'n fwy tebygol o drywanu rhywun efo'r gyllell Stanley. Dyna be ydi steil Kelly Johnsons y byd yma.'

'Ond roedd hi yn fflat Scott Andrews,' meddai Jenny. 'Wedi crwydro i mewn, a gweld ei chyfle. Ond y lladd?' Ysgydwodd ei phen. 'No way, fel 'sa hi'n ei ddeud.' Sathrodd stwmpen ei sigarét. 'Dal i chwilio am y ferch yn y llun, felly, decini?'

Nodiodd Arthur. 'Dal i chwilio, mae arna i ofn.'

30

'Be dach chi'i isio rŵan eto fyth?' arthiodd Ffion.

Safai PC Sandra Hill yn y drws. Gallai Ffion glywed yr heddlu'n curo drysau fflatiau eraill ar hyd y balconi.

'Ma'n ddrwg gin i darfu arnoch chi,' meddai Sandra. 'Tybed allwch chi sbario munud neu ddau i edrych ar y llun yma?'

Daliodd lun Mark Roberts yn y dafarn efo'r ferch benfelen wrth ei ochr. 'Isio gwybod pwy ydi'r ferch rydan ni,' meddai.

Edrychodd Ffion ychydig yn ddiamynedd ar y llun. Roedd hi ar fin gadael i fynd i'w gwaith.

'Na, 'sgen i ddim...' dechreuodd, yna tawodd.

Teimlodd Sandra gyffro bach dieithr yn cychwyn yng ngwaelod ei bol. Ysgwyd eu pennau'n bendant a wnâi'r rhan fwyaf o bobol, a hynny ar ôl dim ond rhyw hanner edrych ar y llun, os hynny.

Ond roedd Ffion yn dal i graffu arno. Teimlai fod rhywbeth cyfarwydd ynglŷn â'r ferch, rhywbeth am ei hosgo...

Ysgydwodd ei phen yn araf. 'Dwi ddim yn siŵr...'

'Be, ydach chi'n meddwl 'ych bod chi'n 'i

nabod hi?' gofynnodd Sandra Hill. Roedd y cyffro'n neidio'n wyllt yn ei stumog.

'Ddim yn 'i nabod hi, nac 'dw. Ond...'

Teimlai Sandra fel ysgwyd y ddynes, ond gwyddai mai cau'i cheg fyddai orau.

Ar hyn, daeth hogyn go fawr trwodd o'r gegin ac at y drws.

'Be sy?' gofynnodd.

Gallai Sandra fod wedi'i dagu am ddod trwodd yr union eiliad honno, a thynnu sylw'r ddynes. Ond roedd hi'n dal i graffu ar y llun, diolch byth. Edrychodd yr hogyn arno dros ysgwydd ei fam.

'Roedd rhywun tebyg iawn iddi yn 'y nhacsi i neithiwr,' meddai Ffion. 'Cofiwch, welis i mo'i hwyneb hi. Ond ma rhwbath am 'i gwallt hi, a'i dillad hi...'

'Lle roedd hyn?' gofynnodd Sandra. Sylwodd hi ddim fod Josh wedi troi'n wyn pan welodd y llun. Thalodd hi fawr o sylw wrth i Josh droi i ffwrdd yn sydyn a brysio drwy'r drws.

'Y... Stryd Gibson,' meddai Ffion.

Stryd Gibson oedd y stryd nesaf at Ffordd Clywedog, lle roedd garej Michael Doyle. Roedd ar Sandra ofn gofyn y cwestiynau nesaf.

'Lle oedd hi'n mynd? Gawsoch chi enw o gwbwl?'

Edrychodd Ffion arni. 'Dwi ddim yn deud

mai hi oedd hi. Jest... ei bod hi'n debyg...'
Ochneidiodd. 'Ocê, yr enw ges i oedd Sioned
Jones, ac mi wnes i 'i gollwng hi yn Heol Y
Garn.'

31

DOEDD MICHAEL DOYLE DDIM yn ddyn hapus. Fel tasa dod o hyd i gorff Daido Harrison ddim yn ddigon, y peth cyntaf, bron, a wnaeth yr heddlu ar ôl iddo'u galw draw i'r garej oedd ei arestio. Roedden nhw wedi mynd drwy'r lle efo crib mân, a chymerodd hi fawr o dro iddyn nhw sylweddoli bod y rhan fwyaf o'r ceir wedi'u dwyn.

'Ond y fi wna'th 'ych galw chi draw!' protestiodd drosodd a throsodd. 'Fi wna'th riportio'r peth! Dydi hynny ddim yn cyfri?'

Edrychodd DC Arthur Jones yn hurt arno, yna ar Jenny.

'Be w't ti'n disgwyl 'i gael – gwobr Citizen of the Year, neu rywbath?'

'Wel... nac 'dw, ond...'

'Ond be?' meddai Jenny.

Ochneidiodd Doyle. 'Dim byd.'

'Cofia di,' meddai Arthur, 'tasat ti'n deud wrthan ni pwy ydi'r bobol sy'n cymryd y ceir yma oddi arnat ti, unwaith ma nhw'n barod... Yna, pwy a ŵyr?'

Daeth golwg ofnus dros wyneb Doyle. Ysgydwodd ei ben yn ffyrnig. 'Anghofiwch o.'

'Basa ychydig llai o flynyddoedd yn y carchar yn gneud byd o wahaniaeth i ddyn o d'oed di, Michael,' ychwanegodd Jenny.

'Faswn i ddim yn para wsnos,' meddai, 'heb sôn am flynyddoedd. Sorri, Inspector, ond na. Dwi isio byw.'

'A, wel...' Safodd Arthur a chau'r ffeil.

'Y blydi hogyn 'na,' meddai Doyle. 'Ro'n i'n gwybod mai traffarth fasa fo.'

Cychwynnodd Jenny ac Arthur am y drws.

'Ers i mi roi alibi i'r diawl bach y llynadd.'

Edrychodd Jenny arno. 'O?'

Nodiodd Michael Doyle yn ddigalon. 'Ar ôl iddo fo daro rhyw ddynas efo un o'r ceir, tua blwyddyn yn ôl. Dangos ei hun roedd o. Idiot. Fo a dau idiot arall...' Sylweddolodd fod Jenny James ac Arthur yn rhythu arno'n gegagored. 'Be? Be sy?'

32

ROEDD Y CYFFRO A deimlodd PC Sandra Hill yn gynharach wedi diflannu bron yn llwyr.

Fu'r DCI fawr o gymorth.

'Welodd hi mo'r ferch yn iawn,' meddai wrth glywed tystiolaeth Ffion. ''Mond meddwl, falla, mai hi oedd hi. A faint o ferched tal efo gwallt melyn, hir sydd yn y dref yma?'

Ond fe gytunodd i anfon Sandra draw i Heol y Garn i chwilio am y 'Sioned Jones' honno. Sandra a PC Raymond Lloyd. Gan ei bod hi'n bwrw glaw wnaeth hwnnw ddim byd ond cwyno am wastraffu amser ar *wild goose chase* nes bod Sandra'n teimlo fel ei dagu.

Oedd, roedd yna Sioned Jones yn byw yn Heol y Garn.

Yn anffodus, roedd hi'n saith deg saith mlwydd oed ac yn weddw i'r cyn-Barchedig Idris Jones, gynt o Gapel Ebenezer. Ac er y byddai gwraig i weinidog yn sicr o wybod yr hanes o'r Hen Destament, amhosib oedd meddwl amdani'n mynd o gwmpas y lle mewn sgert gwta a thop gwddf isel.

Ond doedd yna'r un Sioned Jones arall yn byw yn Heol y Garn. A doedd neb yno'n adnabod y ferch yn y llun. Cwrddodd Raymond â Sandra hanner ffordd i fyny'r stryd honno. Roedd

Raymond wrthi'n ffarwelio â merch ifanc wrth ddrws ei thŷ, merch yn ei harddegau â gwallt brown cwta a sbectol drwchus.

'Bechod,' meddai PC Raymond Lloyd wrth iddyn nhw gerdded i ffwrdd o'r tŷ. 'Cafodd ei mam ei tharo i lawr y llynedd – hit and run. Ma hi mewn cartra rŵan, ei meddwl hi'n rhacs.'

Nodiodd Sandra. Roedd hi'n cofio'r digwyddiad. 'Chawson ni ddim gafael ar yrrwr y car, yn naddo?'

'Naddo,' atebodd Raymond.

Wrth geg y stryd, trodd Sandra ac edrych yn ôl at y tŷ. Gwelodd fod rhywun yn sefyll y tu allan iddo – hogyn ifanc mawr, tal. Gwyliodd hi'r hogyn yn cerdded at y drws a chanu'r gloch. Disgynnai'r golau o'r tŷ ar ei wyneb drwy wydr y drws.

Lle goblyn ydw i wedi gweld hwnna heddiw? Ceisiodd gofio wrth gerdded yn ôl i swyddfa'r heddlu efo Raymond. Ysgydwodd ei phen. Mi ddaw 'nôl i mi cyn bo hir, meddyliodd.

33

DOEDD JOSH DDIM WEDI gwneud dim byd ond meddwl... a meddwl, a meddwl... ers i Ffion fynd i weithio.

Meddwl am y ferch yn y llun.

Llun o'r ferch a ddaeth allan o ardd gefn tŷ Mari'r noson o'r blaen.

Pwy oedd hi?

Fel pawb arall ar y stad, roedd o wedi clywed am lofruddiaeth Mark Roberts. Roedd Mark, er ei fod o'n ddiawl drwg, yn un o hogia'r stad ar un adeg. Ac yn ôl y sôn, roedd o wedi cael ei ladd yr un ffordd â Stici Scott.

A rŵan, dyma'r heddlu'n mynd o gwmpas y lle'n dangos llun o Mark efo'r ferch a welsai Josh yn dod o dŷ Mari.

Wel, meddai wrtho'i hun, nid Mari ydi hi, diolch byth. Doedd hi ddim byd tebyg i'r ferch yn y llun.

Ond mae Mari'n siŵr o fod yn gwybod pwy ydi hi, Josh, sibrydodd rhyw hen lais bach sbeitlyd y tu mewn i'w ben.

Oedd y blismones honno wedi sylwi ar yr edrychiad ar ei wyneb pan edrychodd o ar y llun? Na, go brin. Basa hi'n sicr o fod wedi'i holi'n dwll tasa hi wedi sylwi arno ac yntau'n wyn fel y galchen. A doedd ei fam ddim wedi sylwi chwaith, diolch i Dduw. Basa Ffion wedi gwneud i'r holi gan yr heddlu edrych fel y cwestiwn cyntaf ar *Who Wants To Be A Millionaire*?

Yna sylweddolodd Josh ei fod o wedi treulio'r rhan fwyaf o'r diwrnod yn ei holi ei hun.

Methodd yn glir ag ateb yr un o'r cwestiynau. A'r un pwysicaf, y mwyaf ohonyn nhw i gyd, oedd:

Pwy oedd y ferch honno?

Wel, penderfynodd o'r diwedd, does ond un ffordd o ffeindio'r ateb. Estynnodd ei gôt a chychwyn am Goed Tabor unwaith eto. Ac roedd y cwestiynau'n dal i droi yn ei ben.

Gan ei fod o'n meddwl mor galed, sylwodd o ddim ei bod yn dechrau bwrw unwaith eto. A sylwodd o ddim chwaith ar y tacsi a ddaeth yn agos iawn at ei daro wrth iddo groesi'r ffordd ger Coed Tabor.

*

Rhegodd Ruth yn uchel wrth sathru ar ei brêc. Roedd canol y dref yn anodd heno gan fod yr holl bobol yn gwneud eu siopa Nadolig, yn brysio i groesi'r ffordd heb edrych lle roedden nhw'n mynd.

Ond roedd hi'n dawelach o lawer yma wrth Goed Tabor. Felly doedd dim esgus o gwbl gan yr idiot a gamodd allan i'r ffordd, reit o flaen ei char.

A sylwodd o ddim ar y car, hyd yn oed ar ôl iddi ganu'i chorn yn uchel! Agorodd Ruth ei ffenest gyda'r bwriad o roi llond ceg iawn iddo.

Yna meddyliodd. Dwi'n nabod hwn, dwi'n siŵr. Bachgen tal, llond ei groen... Cafodd Ruth gip sydyn ar ei wyneb wrth iddo droi i lawr un o strydoedd y stad.

Josh! meddyliodd.

Ochneidiodd a chau'i ffenest a gyrru i ffwrdd yn ofalus. Mi gaiff Ffion wybod am hyn, meddai wrthi'i hun, er mwyn iddi gael gair efo'i mab ynglŷn â'r *Green Cross Code*.

'DYNA BE SY'N CYSYLLTU'R tri!'

Hanner awr ynghynt, roedd Arthur a Jenny yn agos iawn at fod yn cysgu uwchben eu traed. Yn awr, roedden nhw'n llawn egni unwaith eto.

A'r cyfan oherwydd Michael Doyle, o bawb. Bu'n barod iawn i adrodd yr hanes, unwaith roedd o wedi cael ar ddeall y byddai hynny, falla, falla, yn ei helpu yn y pen draw.

Oedd, roedd o wedi rhoi alibi ffug i Daido Harrison tua blwyddyn yn ôl, meddai. Oherwydd record hir Daido o ddwyn ceir a mynd am joy ride, roedd o'n un o lawer a gawsai ei holi ynglŷn â digwyddiad hit and run yn Heol y Garn.

Ond yn ôl ei fòs, Michael Doyle, doedd Daido ddim ar gyfyl y lle. Dyna daerodd ar y pryd. Roedd Daido bach diniwed, meddai, yn gweithio'n galed, ac yn onest, yn y garej.

Ar ôl i'r heddlu adael, fodd bynnag, roedd Michael wedi cydio yn Daido gerfydd ei wddf a'i godi'n uchel yn erbyn y wal a'i rybuddio i beidio byth â gwneud unrhyw beth arall a fyddai'n denu sylw'r heddlu.

Ac roedd Daido, hyd y gwyddai, wedi byhafio, nes iddo goroni'r cwbwl drwy gael ei lofruddio gan ryw seicopath. Fel y dywedodd Hardy droeon wrth Laurel, 'Another fine mess you've got me into.'

Pwy oedd efo fo yn y car, pan ddigwyddodd yr hit and run oedd y cwestiwn nesaf. Ysgydwodd Michael ei ben. Doedd dim syniad ganddo beth oedd eu henwau ac roedd o wedi pwysleisio ar y pryd nad oedd arno eisiau gwybod unrhyw beth am y digwyddiad.

Ond...

Dangosodd Arthur luniau iddo o Mark Roberts a Scott Andrews. Nodiodd Michael yn syth. Ia, meddai, y nhw oedd mêts mawr Daido cyn y digwyddiad, wastad yn hongian o gwmpas y tu allan i'r garej ar ddiwedd y dydd, yn aros am Daido. Ond doedd o ddim wedi gweld yr un ohonyn nhw wedyn.

*

Y job nesaf i'r heddlu, felly, oedd mynd yn ôl drwy'r ffeiliau. Roedd Arthur yn cofio'r ddamwain yn iawn. Bronwen Jenkins, gwraig weddw a chapelwraig, 43 oed, ac yn fam i ferch yn ei harddegau, yn gorwedd fel doli glwt yn gwaedu yn y glaw.

Ac yn dal i bob pwrpas fel doli glwt, cofiodd Arthur, yng nghartref nyrsio Pen-y-wern. Roedd hi'n anadlu, oedd, ond dim llawer mwy na hynny.

Ond ei merch...

Mari...

Cododd ei ffôn.

'Pwy sy 'di bod yn gwneud ymholiadau o gwmpas Coed Tabor a...' Edrychodd ar y ffeil ar ei sgrin. '... yn Heol y Garn?' gofynnodd i'r rhingyll oedd ar ddyletswydd.

PC Raymond Lloyd a PC Sandra Hill oedd yr ateb. Ac roedden nhw newydd gyrraedd yn eu holau.

35

WRTH IDDI LENWI'R TEGELL, trwodd yn y gegin, sylwodd Mari fod ei dwylo'n crynu. Arno fo roedd y bai.

Pan atebodd hi'r drws, bu bron iddi gael ffit pan welodd hi Josh yn sefyll yno.

'Hai,' meddai wrthi'n llywaeth. 'Ti'n ocê?'

Erbyn hyn, roedd hi'n bell o fod yn ocê. Roedd ei phen yn troi efo'r holl bethau roedd o wedi'u dweud wrthi. Soniodd fod yr heddlu wedi bod yn ei weld ac wedi dangos y llun hwnnw o Jael...

'Ma nhw wedi bod yma hefyd,' meddai Mari'n ddiamynedd. 'Ond pam w't ti yma, Josh? Dyna be dwi isio'i wbod.'

Roedd Josh wedi sefyll yno, yn y stafell fyw – ei hystafell fyw hi. Doedd ganddo ddim hawl i fod yno, efo'i geg yn agor a chau fel ceg pysgodyn.

Datgelodd y cyfan iddi – iddo fod yn stelcian y tu allan i'r tŷ – ei thŷ hi. Doedd ganddo ddim hawl i fod yno na rownd y cefn. Dywedodd iddo weld yr eneth yn y llun, y llun oedd gan yr heddlu, yn dod allan o ddrws cefn ei thŷ.

Roedd o wedi bod yno drwy'r amser, yn cuddio yn y cysgodion. A doedd hi ddim wedi'i weld o.

'Pwy ydi hi, Mari?' gofynnodd.

Neidiodd Mari wrth glywed y cwestiwn.

Dechreuodd Mari egluro nad oedd ganddi

unrhyw syniad am bwy roedd o'n sôn. Ond torrodd Josh ar ei thraws.

'Rw't ti'n gwybod pwy ydi hi, yn dw't? Dwi'n gallu deud ar dy wynab di. Dy chwaer?'

Ddywedodd Mari ddim gair. Trodd i ffwrdd oddi wrtho, gan gymryd arni ei bod wedi'i hypsetio, ond roedd ei meddwl yn rasio. Gallai weld ei lun, yn y ffenest dywyll, yn sbio arni. Yna gwelodd Josh yn dod tuag ati.

'Isio dy helpu di ydw i, Mari,' clywodd ei lais yn dweud. 'Dyna'r cwbwl. 'Mond isio dy helpu di.'

Yna roedd ei freichiau'n cau amdani.

'Mae'n ôce,' meddai Josh wrthi. 'Mae'n ocê. Dwi yma rŵan...'

A dw't ti ddim i fod yma! meddyliodd Mari. Does gen ti ddim hawl i fod yma. Ein tŷ ni ydi hwn. Mam a fi...

... a Jael.

Camodd yn ei hôl, a gollyngodd Josh ei afael arni.

'Cer i eistedd,' meddai wrtho. 'Ma'n rhaid i mi fynd i fyny'r grisiau am gwpwl o funudau. I'r tŷ bach. Mi gawn ni sgwrs iawn ar ôl i mi ddod yn ôl i lawr.'

36

Na, meddyliodd DC Arthur Jones gan ddal ei ffôn wrth ei glust. Wrth ei ochr yn y car roedd DI Jenny James yn gyrru tuag at Heol y Garn.

Plis, na. Gadewch i mi fod yn wirion bost, yn jôc fawr am flynyddoedd yn y CID, yn fwy o jôc nag ydw i'n barod. Dwi ddim isio bod yn iawn y tro hwn.

Ond cyn gynted ag y dywedodd PC Raymond Lloyd wrtho fod y ferch yn astudio Drama yn yr ysgol, cafodd Arthur yr hen deimlad ofnadwy hwnnw yng ngwaelod ei stumog.

Teimlad a chwyddodd fel balŵn pan ddeallodd oddi wrth PC Sandra Hill fod, fel y dywedodd hi, '... mab y ddynes honno sy'n dreifio'r tacsis "Merched yn Unig" wedi mynd i mewn i rif 35, Heol y Garn.'

At Mari Jenkins.

Josh!

Roedd y cyfan yn ffitio mewn ffordd fisâr, ofnadwy.

Y cyfan heblaw Josh.

Be ddiawl roedd Josh yn ei wneud yno? Lle roedd o'n ffitio?

O'r diwedd, atebodd Ffion ei ffôn.

*

'Na chei di wir, Arthur,' meddai Ffion. 'Blydi hel, dwi'n synnu atat ti'n gofyn. Dw't ti rioed yn disgwl i mi ddeud wrthat ti be ydi rhif ei fobeil o, a finna wedi deud erioed nad w't ti a fo...'

Yna llifodd y gwaed o'i hwyneb wrth i Arthur egluro wrthi pam roedd o'n gofyn.

37

Roedd Mari'n hir iawn yn dod yn ei hôl i lawr y grisiau, meddyliodd Josh.

Doedd o ddim yn teimlo'n gyfforddus iawn, yma yn y stafell fyw. Yn wir, roedd o'n amau ai stafell fyw oedd hi. Roedd hi'n oer, yn un peth, a phan gododd a rhoi ei law ar y gwresogydd, sylweddolodd fod hwnnw hefyd yn hollol oer. Er bod set deledu yn y gornel, roedd y plwg yn gorwedd ar y llawr, ac yn ôl y llwch oedd i'w weld yn dew dros y sgrin, doedd hi ddim wedi cael ei defnyddio ers misoedd lawer.

Ond roedd copi o'r *Radio Times* ar y bwrdd coffi. Cododd a syllu ar y clawr. Doedd hyn ddim yn gwneud synnwyr.

Yr un clawr â'r llynedd...

Yna edrychodd ar y dyddiad.

Rhagfyr 2009!

Blydi hel, roedd hyn yn weird. A lle roedd Mari? Cododd Josh a mynd at waelod y grisiau.

'Mari? Mari, ti'n ocê?'

Dim ymateb.

'Mari!'

'Dwi'n dod rŵan...' clywodd hi'n gweiddi.

Ond roedd ei llais yn swnio'n wahanol, rywsut. Swniai fel llais rhywun hŷn na Mari. Wrth droi yn ei ôl am y stafell fyw, sylwodd fod y blodau mewn dysgl ar fwrdd bychan yn y cyntedd wedi marw. Roedden nhw fel powdwr sych pan gyffyrddodd â nhw efo blaenau'i fysedd.

Ond y gegin... roedd y gegin mor *normal*, meddyliodd. Roedd yn gynnes, yn olau a gwaith cartref Mari yn llenwi'r bwrdd.

Ond am weddill y tŷ...

O gornel ei lygad gwelodd gysgod rhywun yn symud ar y landin. Edrychodd i fyny'r grisiau.

'Mari...?'

Ond merch arall a ddaeth i'r golwg ar ben y grisiau a chychwyn i lawr tuag ato. Merch a chanddi wallt melyn hir, sgert gwta a thop â'r gwddf yn isel.

Y ferch a welsai Josh yn dod allan o gefn y tŷ.

Y ferch yn y llun.

Roedd ei sgert yn ddigon byr iddo fedru gweld reit i fyny at dop ei choesau, a gwddf ei thop yn ddigon isel i ddangos hanner ei bronnau. Ond er ei bod yn gwenu arno, doedd o ddim yn hoffi'r ffordd roedd hi'n gwenu. Cerddai i lawr y grisiau'n araf â'i llaw yn gafael yn rhywbeth y tu mewn i'w bag ysgwydd. Roedd holl nerfau Josh yn sgrechian arno i droi a rhedeg o'r tŷ hwn.

Am ei fywyd...

38

Camodd Josh yn ei ôl. Roedd arno eisiau troi a rhedeg ond roedd ei goesau'n teimlo'n drwm iawn.

Deuai'r ferch i lawr y grisiau tuag ato, dan wenu. Yn nes ac yn nes. Gallai glywed arogl ei phersawr erbyn hyn, yn llenwi'i ffroenau.

'Lle...?' ceisiodd ofyn, ond roedd ei lais wedi mynd i rywle gan adael ei wddf yn sych. Llyncodd.

'Lle... lle ma Mari?' llwyddodd i ofyn.

Gwenodd y ferch, gan ddangos ei dannedd, ond doedd y wên ddim yn agos at ei llygaid. Roedd y rheini'n fawr ac yn grwn ac yn syllu reit i mewn i lygaid Josh.

Camodd Josh yn ei ôl. Rhythodd ar y ferch wrth iddi dynnu ei llaw allan o'i bag ysgwydd.

Yn ei llaw roedd morthwyl pren, trwm. Cam arall yn ôl, a theimlodd Josh ochr bwrdd y cyntedd yn erbyn ei glun. Trodd efo'r bwriad o gipio'r ddysgl flodau a'i thaflu at y ferch, ond roedd hi'n rhy gyflym iddo. Gyda sgrech uchel rhuthrodd amdano a thorri'r ddysgl yn ddarnau efo'r morthwyl. Teimlodd Josh un o'r darnau'n brathu'n greulon i mewn i'w law.

Edrychodd i fyny a gweld bod y morthwyl wedi cael ei godi, ac wedi'i anelu at ei ben.

A dyna pryd y sylweddolodd pwy oedd y ferch.

'Mari! Na,' gwaeddodd.

Fflachiodd rhywbeth drwy lygaid Mari, am eiliad, a defnyddiodd Josh yr eiliad hwnnw i faglu yn ei ôl oddi wrthi, wrth iddi ddod amdano. Ond roedd llawr pren y cyntedd yn llithrig, diolch i'r blodau marw a'r dŵr budr yng ngwaelod y ddysgl. Teimlodd Josh ei draed yn llithro oddi tano, ac yntau'n syrthio yn ei ôl...

*

Sgrialodd Ffion allan o'i thacsi wrth i Arthur a Jenny ddod allan o'u car, a daeth rhagor o heddlu o'r fan y tu ôl iddynt. Dechreuodd Ffion redeg tuag atyn nhw.

'Arthur...!'

Trodd Arthur a'i gweld.

'Cer yn ôl i mewn i'r car 'na!' chwyrnodd arni. 'Rŵan!'

'Ond ma Josh yno... yn y tŷ 'na!'

Cyn i Arthur fedru ateb daeth sgrech ac yna sŵn rhywbeth yn torri'n deilchion yn y tŷ.

'Josh!'

Trodd Ffion at y tŷ, ond yna ffrwydrodd gwydr y drws ffrynt wrth i Josh syrthio allan trwyddo, wysg ei gefn.

Daeth sgrech uchel arall yn sgil hyn, ond nid Josh oedd yn sgrechian. Rhuthrodd merch efo gwallt melyn, hir allan ar ei ôl, heb sylwi dim ar y darnau o wydr a grafai ei hwyneb. Daliai forthwyl mawr pren yn uchel yn ei llaw a neidiodd fel anifail am Josh.

Agorodd ei cheg i sgrechian eto... a fedrai Ffion wneud dim ond syllu ar y morthwyl wedi'i anelu at ei mab ac yntau'n gorwedd yng nghanol y darnau gwydr.

39

Noswyl Nadolig, rai dyddiau'n ddiweddarach, eisteddai Arthur Jones mewn caffi yng nghanol y dref, un o'r ychydig gaffis go iawn oedd yn dal i wneud yr hyn a alwai Arthur yn 'fwyd call'. Bacwn, wy, chips, sosej... a'r te'n gryf ac yn boeth.

Ond heddiw, doedd ganddo ddim stumog o gwbl. Dwi'n mynd yn hen, meddyliodd, mae'r job yma'n dechrau dweud arna i. Syllodd i mewn i'w de, a neidio pan eisteddodd Ffion gyferbyn ag ef.

'Sorri... ro'n i 'mhell i ffwrdd.'

Rhwbiodd Ffion ychydig o'r stêm oddi ar y ffenest ac edrych allan ar y bobol yn llifo heibio yng nghanol y glaw.

'Mi faswn i'n leicio taswn i,' meddai. 'Yn bell uffernol, hefyd.'

'Sut ma Josh?'

'Yn dŵad yn ei flaen, diolch. Ond, oni bai am yr inspector yna...'

'Jenny James?'

'Ia.'

Roedd Jenny wedi llwyddo i luchio'i hun mewn pryd ar ben Mari a Josh. Glaniodd y morthwyl ar ei hysgwydd a'i brifo.

Fel arall... na, doedd ar Ffion ddim eisiau

meddwl am hynny. Roedd Josh wedi cael ychydig o grafiadau pan syrthiodd drwy'r drws, ond fel arall roedd o'n tshampion.

Yn gorfforol, o leiaf.

Diolch byth mai drws gwydr oedd i'r tŷ, ac nid un pren, solet.

'Os oes yna unrhyw beth y galla i ei neud...' dechreuodd Arthur.

'Nag oes, Arthur,' torrodd Ffion ar ei draws. Yna gofynnodd, 'Be amdani hi?'

'Mari?' Ochneidiodd Arthur ac ysgwyd ei ben. 'Ei meddwl hi... Un funud mae hi'n iawn, ond y funud nesa...' Ochneidiodd eto. 'Y beth fach.'

Rhythodd Ffion arno. 'Y beth fach?'

'Ia, Ffion.'

Edrychodd Arthur i fyny, ac i fyw ei llygaid. Roedd yn rhaid i Ffion droi i ffwrdd.

Roedd gormod o lawer o dristwch yn llenwi llygaid Arthur.

Eisteddodd y ddau heb siarad am ychydig. Yna cododd Ffion.

'Dw't ti ddim yn mynd yn barod? Sorri, dwi ddim wedi cynnig panad i ti hyd yn oed...' meddai Arthur, ond roedd Ffion yn ysgwyd ei phen.

'Na, sgen i ddim amser. Gwaith yn galw, pobol angen cael eu cludo o un lle i'r llall.' Edrychodd i lawr arno. 'Y Jenny James yna. Deud diolch wrthi hi, wnei di, Arthur? Oddi wrtha i.'

'Mi wna i. Gwranda, Ffion...'

'Na, sorri, Arthur, dwi'n gorfod mynd.' Trodd a mynd tuag at y drws.

'Dolig llawan, yn de,' galwodd Arthur ar ei hôl.

Ond chlywodd hi mohono. Aeth allan heb edrych yn ôl dros ei hysgwydd.

40

Eisteddai'r ddynes mewn cadair wrth y ffenest. Roedden nhw'n edrych ar ei hôl hi'n reit dda yma, meddyliodd Arthur. Roedd ei dillad yn lân ac yn dwt ac roedd sglein ar ei gwallt.

Ond doedd hi ddim callach ei fod o yno, er ei fod o'n eistedd gyferbyn â hi. Crwydrai ei llygaid ato bob hyn a hyn, ond doedd hi ddim yn ei weld, nac yn ei glywed.

Ar ôl ychydig, cododd. Plygodd a chusanu'r ddynes ar ei chorun. 'Ma'n wir ddrwg gen i, Bronwen,' meddai wrthi. 'Am bob dim.'

Dim ymateb o gwbl.

Trodd Arthur a cherdded allan o'r cartref. Roedd ei lygaid yn llawn niwl wrth iddo fynd i mewn i'w gar a gyrru i ffwrdd.

EPILOG

ROEDD EI MEDDWL YN glir bellach, a gallai Kelly Johnson feddwl o'r diwedd.

Pwy, tybed, oedd wedi'i gweld yn dod allan o fflat Stici Scott y noson honno? A phwy, wedyn, oedd wedi dweud wrth y cops?

Beth am y boi hwnnw efo'r tatŵs, oedd yn byw ddau ddrws i ffwrdd?

Na, penderfynodd Kelly. No way y basa dyn fel hwnnw'n gwybod mai top oedd ond ar gael yn siop Next a wisgai.

Yna cofiodd iddi gael cip ar wyneb Karina Jones yn wên o glust i glust wrth iddi hi, Kelly, gael ei llusgo i mewn i'r fan.

Bingo! meddyliodd Kelly.

Digon hawdd fyddai prynu cyllell Stanley arall, ar ôl cael ei rhyddhau o'r lle yma.

Dwy job i'w gwneud, felly. Karina Jones yn gyntaf. Byddai'n hwyl gwneud i honno biso yn ei nicyrs unwaith eto.

Ac wedyn, y bitsh snobi honno yn y tacsi. Honno oedd wedi siarad efo Kelly fel tasa hi'n lwmp o gachu ci.

O, roedd honno'n mynd i dalu, doedd dim dwywaith am hynny. Cyn gynted ag y byddai Kelly wedi cael ei gollwng yn rhydd.

Gwenodd.

Peth cŵl oedd cael rhywbeth i edrych ymlaen ato...